小説 弱虫《よわむし》ペダル 3

原作 渡辺航
ノベライズ 輔老心

岩崎書店

弱虫ペダル③ 目次

登場人物《とうじょうじんぶつ》

今泉俊輔《いまいずみしゅんすけ》

自転車競技《きょうぎ》に命をかける、毎日ストイックに走り続ける高校一年生。中学時代は県内でも有名なレーサーだった。坂道の走りに関心を持っている。

小野田坂道《おのださかみち》

ママチャリで往復《おうふく》九十キロの秋葉原への道のりを毎週欠かさず通う高校一年生。自転車に自分の可能性《かのうせい》があるなら、と千葉県一強い自転車競《きょう》技《ぎ》部《ぶ》に入部する。

鳴子章吉《なるこしょうきち》

自転車と友だちを大事にする関西出身のレーサー。浪速《なにわ》のスピードマンの異名を持つ高校一年生。坂道のよきアドバイザーでもある。

総北高校自転車部　三年生

主将・金城《しゅしょう・きんじょう》

自転車競技部の主将・高校三年生。

田所《たどころ》

自転車競技部・高校三年生。

巻島《まきしま》

自転車競技部・高校三年生。

二年生

手嶋《てしま》

自転車競技部・高校二年生。

青八木《あおやぎ》

自転車競技部・高校二年生。

前回までのあらすじ

ひょんなことから総北《そうほく》高校自転車競技《きょうぎ》部《ぶ》に入部した一年生の小野田坂道《おのださかみち》は「一年生対抗《たいこう》ウエルカムレース」に挑戦《ちょうせん》することになった。

まわりは経験者《けいけんしゃ》で、自転車レースは右も左もわからない「まったくの初心者《しょしんしゃ》」だが、上り坂をこぐ能力《のうりょく》がばつぐんに高く、借りた自転車で「ハイケイデンス（高回転数《こうかいてんすう》）走法《そうほう》」をくりだす坂道。

そして、なんと山頂《さんちょう》まで一番で登ってみせたのだった。しかし、そこでつかれはて、レースはとちゅうでリタイアしてしまった。

そして、この走りっぷりを見ていた三年生の金城主将《きんじょうしゅしょう》、田《た》所《どころ》、巻島《まきしま》たちに、今年の新入部員《しんにゅうぶいん》は、次世代《じせだい》エース級《きゅう》の今泉俊《いまいずみしゅん》輔《すけ》、浪速《なにわ》から来たスピードスターの鳴子章吉《なるこしょうきち》だけでなく、初心《しょしん》者《しゃ》の坂道が意外《いがい》な成長をするかも、と思わせた。

全国優勝《ゆうしょう》を目指《めざ》す大レース「インターハイ」は夏にせまっているのだ。

新戦力《しんせんりょく》をきたえあげるために、練習の日々《ひび》が始まった——。

本書は、秋田書店刊の『弱虫ペダル』をもとに小説化したものです。文章化するにあたり、台詞など一部改めています。

第一章　インターハイ予選《よせん》

巻島先輩《まきしませんぱい》

四月に行われた「ウエルカムレース」。

これは、入部したばかりの一年生に、いきなり六十キロの競争《きょうそう》をさせる自転車競技部《きょうぎぶ》の伝統《でんとう》行事だ。

ロードレース初心者《しょしんしゃ》なのに坂道《さかみち》はがんばって、先輩《せんぱい》たちを「有望新人《ゆうぼうしんじん》があらわれた！」とわかせたが、最後《さいご》まで体力がもたずにリタイア。先輩の自動車に乗せてもらってゴール地点に先回りし、みんながフィニッシュするところを見た。

一年生　ウエルカムレース　結果《けっか》

1位　3時間11分08秒　今泉俊輔《いまいずみしゅんすけ》
2位　3時間11分10秒　鳴子章吉《なるこしょうきち》

3位　4時間02分38秒　杉元照文《すぎもとてるふみ》
4位　4時間55分27秒　桜井剛《さくらいつよし》
5位　5時間09分06秒　川田拓也《たくや》
リタイア　小野田《おのだ》坂道

坂道が目にしたゴールラインは地獄《じごく》のようだった。選手《せんしゅ》たちはゴールするやいなや自転車をほうり出してたおれこみ、はいつくばっていた。

あの冷静《れいせい》な今泉も、あの強気の鳴子も、エネルギーを使いはたし、もう動けないと、ひっくり返っていた。それを見た坂道はおどろき、ショックをうけた。

スゴイ、これが全力のたたかいなんだ。
全力を出し切ると、人はこんなすがたになるのか。
ボクが考えていた全力なんて、全然《ぜんぜん》、全力じゃない。

坂道が立ちつくしていると、うしろから声が聞こえてきた。

「あつく、なったかあ?」

声の主はみどり色の長い髪《かみ》をしたやせた男だった。はながとがっていて目が細い。そして、左の目じりと左のアゴにホクロがある。三年生の巻島《まきしま》だ。

「そういう顔、してるっショ。二人と同じ歳《とし》なのに……、この差《さ》はなんだ……って、自分とあまりにちがうじゃないかって、顔っショ」

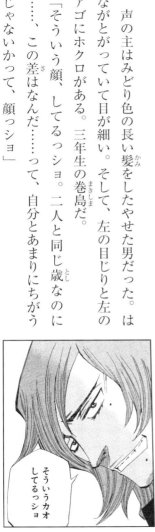

巻島は坂道の気持ちを見すかしたかのように言った。

「自分だけ、山においていかれたようなキモチっしょ？」

図星《ずぼし》だった。

「わかるゼェ……、オレもクライマーだからな」

「え？　巻島さん……」と坂道がおどろいて顔を上げると巻島は話を続けた。

「乗れッショ今は。今のおまえは練習量も経験《けいけん》もぜんぜん足りねぇ。とにかく回すっショ」

そして、もう一つ、とても大切なことをつけ加えた。

「自転車は……回した分だけ強くなる」

秘密《ひみつ》の早朝練《そうちょうれん》

早朝、まだ、静《しず》かな町の中を、一人、ペダルをふむ坂道がいた。

学校に行く前に少しでも、と朝練《あされん》を始めたのだ。

回した分だけ強くなる。回せ、回せ、回せ……。

早く二人に追いつきたい、その一心《いっしん》でペダルをふむ。

その横を車がビュンビュン走り去っていく。すると、「なんや、朝練の前に早朝練かいっ」とうしろから声をかけられた。

その声は？　とふり返ると、なんと鳴子《なるこ》がすぐうしろを走っているではないか。

「きぐうやな。ワイも早朝練、今、終えたところや」

「え！」

「六十キロほど走ってきたとこや。海沿《うみぞ》いの国道十六号から山を回ってきた。ウエルカムレースではぶざまなところを見せて、スカシ泉《いずみ》に負けてもうたから一キロでも二キロでも多く走って、スカシ泉に差《さ》、つけたるねん」

むきだしの闘志《とうし》を見せる鳴子に、坂道はちょっとたじろいだ。

「あ、言うとくけど今日、ここで会うたことはスカシ泉にはないしょやで。あいつに勝つために、ひそかに練習しとるのバレたらかっこ悪い‼

あいつにはヨユーでスァーって勝ちたいねん‼　ほな、先行ってシャワーあびて、屁《へ》ーこいてまっとるでー」

「じゃあ」と片手《かたて》をあげて、鳴子はあっという間に先に行ってしまった。

そっかあ、鳴子くんもひそかに朝練をしていたのか。

坂道はなんだかうれしい気持ちになった。と同時に、鳴子《なるこ》ほどの選手《せんしゅ》でも人が見ていないところで、ひそかに練習していることにおどろいた。

「おう、小野田じゃないか」

うわあ———!?

坂道はビクッとして、思わず声をあげた。

「なんだ、朝から自主練《じしゅれん》か」

今度は〝スカシ泉《いずみ》〟とよばれていた今泉《いまいずみ》だ。

「きぐうだな、オレも早朝練《そうちょうれん》、今、終えたとこだ。海《うみ》沿《ぞ》いの十六号行って、山を回る六十キロほどのな。これ以上《いじょう》、あいつに差《さ》、つめられちゃたまんねーからな。正直、オレもあのレースはギリギリだった。あ、でも、今日会ったことは鳴子には言うなよ。カゲで努力して

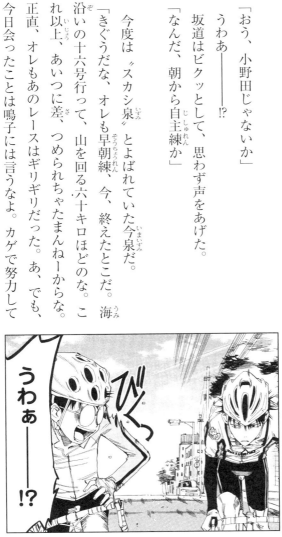

いるのをあいつに知られたら、ムカつく気がするから。じゃあな」

今泉はスーッと加速《かそく》して行ってしまった。

もっともっとボクもペダルを回さなきゃ!!

そして、きっと追いつくよ！　待ってて!!

個人《こじん》練習開始《かいし》

授業《じゅぎょう》が終わった放課後《ほうかご》。総北《そうほく》高校自転車競技部《きょうぎぶ》ではマンツーマンの練習が始まっていた。

マンツーマンとは二人組みになって、一対《たい》一でなにかに取り組むことだ。

「個人練習を始める。これは毎年、インターハイ前の合宿が始まる前に、個人個人の課題《かだい》を見つけるために行っているんだ。一年生と上級生《じょうきゅうせい》がマンツーマンで走ってもらう」

金城主将《きんじょうしゅしょう》が組み合わせを発表した。

「桜井《さくらい》は二年の青八木《あおやぎ》と。杉元《すぎもと》は二年の古賀《こが》と走れ」

杉元は意外《いがい》そうな顔をした。

「古賀先輩《せんぱい》？　いつも用具《ようぐ》をまとめている人だよな。走っているところはあんまり見たことがないぞ。一年生対抗《たいこう》ウエルカムレース三位《い》のボクが、あの先輩と？」

ちょっと不服《ふふく》そうだ。でも、すぐ気を取り直して言った。

「わかった、この練習はボクらに自信をつけさせるものなんだ。上級生《じょうきゅうせい》にも勝てたってね」
そうまくし立てると、杉元は金城に向かって聞いた。
「この練習は、とちゅうで追いぬいてもいいってことですよね？」

「そうだ、のみこみが早いな。追いぬいて、先にゴールのうら門に入れ」

金城はサングラスのおくでひとみをぎらつかせた。

「先に？」

その言葉に反応《はんのう》したのは、今泉《いまいずみ》と鳴子《なるこ》の二人だった。

そして、坂道は「追いぬいてもいいってことは、距離《きょり》は短いけど、それってレースってことじゃないか」と気がつき、心臓《しんぞう》がドキドキしてきた。

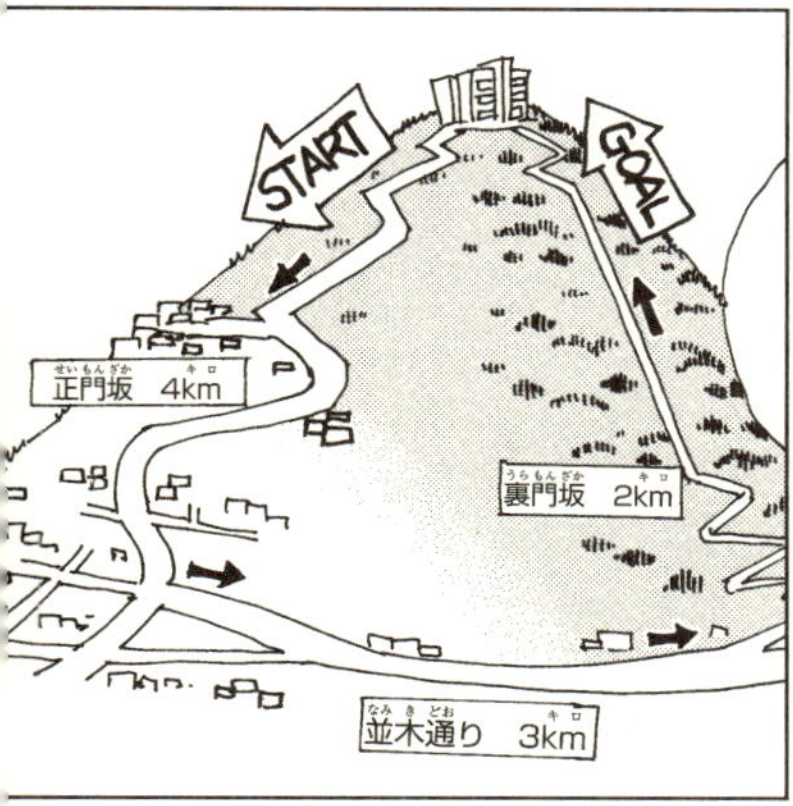

コースは正門坂《せいもんざか》から並木通《なみきどお》りを通って、うら門坂を登ってもどるという、いつも練習で使っているルートだ。
最初《さいしょ》に杉元と古賀が、三分おくれで桜井と青八木が、と次々《つぎつぎ》にスタートしていく。
鳴子がやってきて、坂道に注意した。

「小野田くん、杉元《すぎもと》くんの言ったことにまどわされたらあかん、真逆《まぎゃく》や!!

自信をつけさせるどころか、差《さ》を見せつけて……」

その続きは金城《きんじょう》の言葉で消された。

「そうだ、言ったはずだ。この練習は合宿前に自分の課題《かだい》を見つけることだと。

フォームがくずれている桜井《さくらい》にはかんぺきフォームの青八木《あおやぎ》を、体力温存《おんぞん》タイプの杉元には、体力バカの古賀《こが》を、そして――」

そこで、鳴子《なるこ》はピンときた。

「ワイらには、得意分野同士《とくいぶんやどうし》をぶつける気や!!」

金城は重々《おもおも》しく告げた。

「鳴子は田所《たどころ》と、今泉《いまいずみ》はオレと走る。小野田は巻島《まきしま》だ」

今泉《いまいずみ》はオレと走《はし》る
総北高校
自転車競技部
SOHOKU
小野田《おのだ》は
KANZAKI CS
巻島《まきしま》だ

「ちょっと待てや。ワイらは三年と……やて？　この練習、完全《かんぜん》にワイらつぶしやんけ！」

鳴子《なるこ》は悲鳴《ひめい》をあげた。


鳴子が組む三年生の田所《たどころ》は、平坦《へいたん》じまんのパワー突撃《とつげき》スプリンタータイプだ。今泉《いまいずみ》は三年生で主将《しゅしょう》の金城《きんじょう》と。かれはオールマイティにこなすエースタイプだ。坂道は三年生の巻島《まきしま》だ。上り坂が得意《とくい》なクライマータイプ。ちょっと変わり者だ。

この経験《けいけん》と実績《じっせき》のある三年生が、新入生に技術《ぎじゅつ》をつたえようとする総北《そうほく》高校伝統《でんとう》の練習方法《ほうほう》だ。一年生は、三年生の技《わざ》をぬすまなければならない。

「さあ、行け」

金城の合図《あいず》で、鳴子と田所が走り始めた。

鳴子が先行《せんこう》で、田所があとを追う。

この二人は、タイプでいうとスプリンター同士。スプリンターとは、平坦の道が得意で、最高速《さいこうそく》がだれよりも出るタイプのことだ。太

ももの馬力《ばりき》で爆発的《ばくはつてき》にグングン進む。

「サア、本気で走れ、鳴子！　そして体感《たいかん》しろ、オレの筋肉《きんにく》スプリントを、暴走《ぼうそう》の肉弾頭《にくだんとう》だ！」

鳴子は筋肉《マッスル》スプリントがじまんの田所にいいようにあおられた。田所は小太《こぶと》りにも見える筋肉のかたまり、猛牛《もうぎゅう》が暴走《ぼうそう》しているかのような迫力《はくりょく》ですべてをまきちらす。

「オラッ、オラオラオラオラ～」と田所に追われると、大阪《おおさか》の中学生レースで負けなしだった鳴子の「浪速《なにわ》のスピードマン」のあだ名もかすんでしまうほどだ。

一方《いっぽう》、今泉は金城の走りに追いつけなくて苦しんでいた。

「なぜだ、なんで追いつけないんだ」

スタートから、ずっと金城のせなかを見て走っている。

「どうした、えんりょはいらんぞ、本気で来い」

金城にそう言われても、今泉はずっと本気だ。なのに、一向《いっこう》に差《さ》がつまらないのだ。

一年生と三年生はこれだけの差があることを、みんな思い知らされた。

ピークスパイダー

さて、坂道の番がきた。

巻島《まきしま》が声をかけてきた。

「調子《ちょうし》はどうだい。ルーキークライマー」

坂道の心臓《しんぞう》がドキンとした。

「さあ、時間ショ。オレたちが最後《トリ》だ、行くぜ、ルーキー。オレたちクライマーのおいしいところはうら門坂っショ」

あの学校のうら門に続く二キロの激坂《げきざか》を「おいしい」と言うなんて。

「は……はい」

「かたくなるなョ。前半はのんびりいこうぜ～。坂までは楽しい楽しいサイクリングだ」

そこへ、先に最初《さいしょ》に走り始めた杉元《すぎもと》がもどってきて、はいつくばりながら言った。

「ハアハア、小野田《おのだ》ぁぁ。正直、ボクらに実力差《さ》を見せつけるきびしい練習だよ、これは」

それを見ていた巻島《まきしま》がぼやいた。

「なんだよ、せっかくガチガチのルーキーをオレなりにときほぐそうとしてんのに、よけいなこと、しゃべるんじゃねーよ。気軽《きがる》な気持ちでやればいいんだよ」

そして、坂道に「まあ、いい、乗れっショ」と言いながら、マシンにまたがった。

なんだ!!　この人……。
坂道は巻島のすがたを見て、おどろいた。
今までジャージを着ていてわからなかったけれど……手足が細くて、異様《いよう》に長い!!

「最初に言っておくが、
オレのヒルクライムは
参考《さんこう》にならないぜ？」
巻島《まきしま》先輩《せんぱい》はそう言った。

「巻島さん、小野田。
個人練《こじんれん》、スタートしてください!!」
スタートの声がかかった。

坂道はペダルをふみながら不安になった。
「参考《さんこう》にならないって、どういうこと……。もしかして、スゴイ加速《かそく》して、ボクをおいてっちゃうから参考にならないってこと？　それとも、ボクなんか、まったく勝負《しょうぶ》にならないって、こと？」

まもなく、二台のマシンはならんで表門坂《おもてもんざか》を下っていった。

平坦道《へいたんどう》に出たあたりで、巻島が坂道に話しかけた。

「その自転車、もらったってホント？　……かい？」

「え……、え――――、この、じ、じ、自転車ですか。はい、とてもありがたいことに。ていうか、あの寒咲《かんざき》さんがフレームが古いからって。あの……次《つぎ》の自転車を買うお金がたまるまでの……あ、パーツ、あまったヤツだから　無期限《むきげん》レンタルっていう形で……その……」

坂道は必死《ひっし》に説明《せつめい》したが、きんちょうしていて、しどろもどろだ。

「へーそーなんだ――」と巻島は表情《ひょうじょう》を変えずに聞いている。

うあああ、全然《ぜんぜん》興味《きょうみ》なさそうだ――!!　どうしよう、ボクの話がつまらなかったんだ。

「えーとえーと、すいません、つまんない話題《わだい》で、ほんとすいません」

巻島《まきしま》は巻島で、なんとか、この一年生と会話をもり上げようと必死《ひっし》なのだ。

「やっぱりダメだ。オレは人にやさしい言葉をかけるとか、はずむ会話っつーのが一番苦手なんだ。田所《たどころ》っちからなるべく話しかけるようにキツく言われてきたけど、もういいや」

一年生のきんちょうをほぐしてやろうなんて、巻島のガラではなかったようだ。

そして、坂道に向かって大きな声で言った。

「さあ、来たっショ!!　うら門坂!!　来いよ、ルーキー」

ザアーっといきおいよく登る巻島を必死で追う坂道は全身《ぜんしん》ガチガチ。差《さ》がひらく一方だ。

それを見た巻島はぼやいた。

「はーーつか、この練習は本気でやらなきゃ、イミないっショ!!　オレを追いぬけ……」

は……い……。

そして、まだガチガチの坂道にこう言った。

「オレの走りを見て、ついてきたくなったら来い。ならなかったら来なくていい。やっぱりオレは　自転車でしか会話できねェ、ショ!!」

巻島はハンドルを左に切ってペダルの上に立ち上がり、立ちこぎでうら門坂を登り始めた。坂道は巻島がどうやって、坂を早く登っているのか、よーく観察《かんさつ》しようと思った。

ところが……なんだ、この人!!

今泉《いまいずみ》くんとも鳴子《なるこ》くんともちがう!!

異様《いよう》なダンシング!!

ぐにゃっ、ブン、ぐにゃっ、ブン

ぐらぁっ、ぐらぁぁっ

なんだ この人《ひと》…!!
今泉《いまいずみ》くんとも 鳴子《なるこ》くんとも 違《ちが》う…!!
異様《いよう》な ダンシング!!

巻島《まきしま》のダンシングは、うしろから見ていると、まるでヤジロベエ。車体をたおしすぎなくらいにたおす。スイングはばがとても大きいのに、速《はや》い。

「どうだ、小野田。オレのダンシングは特殊《とくしゅ》。
オレのダンシングは完全自己流《かんぜんじこりゅう》。
だから、おまえの参考《さんこう》にはならない!!
だけど速い!! ついたあだ名は、
頂上《ちょうじょう》の蜘蛛男《くもおとこ》〈ピークスパイダー〉!!」

坂道は口をポカンとあけて、巻島の走りを見つめていた。

こんな自転車の乗り方もあるのか。すごい……すごいです。
なんでだろう、巻島さん。今、ボク、すごいドキドキしてます！

坂道の心に火がついた。これ以上《いじょう》、ボーっとしていられないとペダルを回し始めた。

巻島《まきしま》の武器《ぶき》が自己流《じこりゅう》ダンシングならば、坂道の武器は高回転数《ハイケイデンス》だ。

「追いつきたい！」

ジャカジャカジャカジャカジャカジャカ

「巻島さーーん!!」

坂道がぐんぐんと近づいてくる。

前を行く巻島はゆらゆらとゆれながら、わきの下からうしろを観察《かんさつ》していた。

ほう、こいつがウワサの高回転走登《ハイケイデンスクライム》。すげー回転。
自在《じざい》な緩急《かんきゅう》だ。加速《かそく》や減速《げんそく》にもムラがない。
見るのと走るのとでは大ちがい……ショ。
ウエルカムレースのとき、こんなのに追われていたのか、今泉《いまいずみ》は……。

巻島は坂道の走りを観察《かんさつ》し、あらけずりだが、まぁ、センスあるショ、と評価《ひょうか》した。

追いつけば、引きはなされる。それをくり返しながらも、ペダルを回して、回して、回して、やっと巻島に追いついたとき、坂道は人なつっこく話しかけた。

「あ、あの……、今のダンシング、スゴイですね！」

「ああ？　ああ、走っているときに話しかけんな」と巻島はつっけんどんに返した。

坂道は巻島のかっこいいダンシングをマネしたくなっていた。

「こうですか？」と見たままをマネしようとしたが、

「やめとけ、下手《へた》にオレのマネをすると、ころぶ……」

と巻島が最後《さいご》まで言い終わらないうちに、坂道はハデにころんだ。

「マネしたってムダなんだよ。さっきから、なにやってんの！　言ったショ、オレのダンシングは自己流《じこりゅう》だって」

「すいません、つい、あの、巻島《まきしま》さんのダンシングがすごくかっこよかったから」

かっこいいなんて、ふだん、あまり言われない巻島はてれて、ほおを赤くした。

「ハァ？　な、なに言ってんショ、バカ……。オレのダンシングはアレだ、ちまたじゃキモいとかコワいとか……」

巻島を見る坂道の目は、本当にかっこいいものを見る目をしていた。

人はほめられて悪い気はしない。この坂道の気持ちはきっと巻島につたわっただろう。

「ちっ、だったらアレだ……、マネすんな。自己流……自己流でいけ。

おまえにはおまえのスタイルがあるっショ。

それをつらぬきゃいいっショ。オレはそれをつらぬいた」

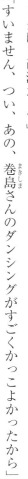

自《じ》己《こ》流《りゅう》でいけ

巻島は自分が一年生だったときのことを坂道に話し始めた。

だれだって、一年生のときがある。

「オレは平地《へいち》では、ドおそいからな……。入部したばっかのころ、よく言われたよ。かめだ、ドンがめだって自転車に向いてねぇって。得意《とくい》なもん、なんかあるかって聞くからさ、『山ッス』って答えて、このダンシングを見せたら、すげー、ばくしょうされた。先輩《せんぱい》たちにさんざんフォームを直されてさ、『自己流をすてろ、それじゃ速《はや》くならねぇ』ってすげー直された」

「……」

「だからオレは毎日かくれて練習した。山だけはだれにも負けねぇって、ちかったんだよ」

坂道は、この巻島にこんな苦労《くろう》したことがあったのか、とおどろいた。

「小野田よ。ウエルカムレースでおまえはなにを手にした？
うっすら見えてんだろ、自分のスタイルが」
「自分の、スタイル？」

「だったら、そいつをみがけっショ。つらぬけっショ。
だってよ、自己流《じこりゅう》のやり方が一番速《はや》かったら、それサイコーにカッコイイっショ」
「サイコーにカッコイイ」という言葉が、坂道の心にズシンときた。

「さあ……て、ずいぶんおしゃべりしちまったっショ。勝負《しょうぶ》しようじゃねェか。
おまえのハイケイデンスクライムと、オレのスパイダークライム。
なくなヨ、圧倒的《あっとうてき》な力の差《さ》に!!」
そう言うやいうなや、巻島《まきしま》はドギャーッと飛《と》ばした。

スゴイ、この人！
坂道はすごい師匠《ししょう》を見つけたかのようにひとみをかがやかせ、巻島のあとを追ったが、どんなにがんばってもぬかすことはできなかった。
そこにはすごい実力差《さ》があるから当然《とうぜん》だ。

くは……やべェ……楽しくなってきたっショ!!
こいつ……今度の合宿、楽しみっショ。

そして、そんなことを感じる自分に、巻島はニヤッとした。

鳴子《なるこ》と田所《たどころ》のデッドヒート

同じころ、鳴子は田所のうしろを追っていた。

田所はがっしりとした体形で、パワーがはちきれそうだ。

二人がスタート地点にもどってきた。鳴子は田所をぬけないままだ。中学ではトップクラスの選手《せんしゅ》だった鳴子に、力の差《さ》を見せつけた田所は、どうだとばかりにニヤリとした。

「どうだ、おまえの課題《かだい》はわかったかよ？」

「わからんかったんで、もう一本、おねがいします!!」

鳴子があっという間に、二本目の坂を下っていった。

一瞬《いっしゅん》、田所は「えっ」という顔をしたが、「そういうのはきらいじゃねーがな」とつぶやくと、すぐにあとを追った。

「勝つまでやる気か……。たんなる負けずぎらいじゃねーかよ。いいぜ、

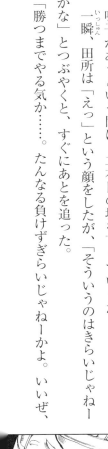

つき合ってやるよ。ついてこい」

しばらくして、二人がもどってきた。もちろん、また田所が前だ。

鳴子は指《ゆび》を一本、空に向かってつき立てるともう一度、さけんだ。

「もう一本おねがいします!!」

「ははは、いいぜ、ついてこい!!」

鳴子は田所のせなかを追いながら、ひたすらペダルをふみこんでいた。

その様子を、ベンチにこしかけ、頭にタオルをかけてへとへとになった今泉《いまいずみ》がだまって見ていた。かれも金城《きんじょう》をぬくことはできていないらしい。

その金城は部員《ぶいん》たちの様子を見回していた。あせ、ひとつかいていない。手には「インターハイ予選《よせん》　千葉県《ちばけん》大会」の案内《あんない》がにぎられていた。

インターハイ予選《よせん》

翌日《よくじつ》――。「いやあ、今日は練習休みだよー。ホッとするねえ」

杉元《すぎもと》が坂道と鳴子《なるこ》に話しかけた。一時間目が終わり、今は休み時間だ。

坂道はひとつ小さくあくびをした。早朝《そうちょう》練習のせいかねむい。

昨日《きのう》のマンツーマンの練習もキツかったので、足が筋肉痛《きんにくつう》だ。

いっしょにいる鳴子は杉元の話なんて、全然《ぜんぜん》、興味《きょうみ》なさそうだ。

昨日、田所先輩《たどころせんぱい》と十周《しゅう》走って、八敗《はい》だったことを思い出し、まだ、くやしがっている。

「二勝できたなんてすごいよ」と杉元に言われても、鳴子にはなぐさめにもならない。

「今日、部活《ぶかつ》休みだから、どうだい、気分転換《てんかん》に学校の帰りにショップに行かないかい⁉」

杉元《すぎもと》の声に、坂道はぎもんがうかんだ。

「う、うん。でも、今日って、なんで部活《ぶかつ》、休みなのかな」と坂道が言うと、「昨日《きのう》、個《こ》人《じん》練習で体力使いはたしているから休養日《きゅうようび》だよ」と杉元がわらい飛ばした。

キーンコーンカーンコーン

二時間目の始業《しぎょう》ベルが鳴った。

そこにとなりのクラスの今泉《いまいずみ》が血相《けっそう》を変えて、飛びこんできた。

「今泉……くん、どうしたの？」

坂道はおどろいた。

今泉はかたで息《いき》をしながら、「オレは行く……」と言った。

「今、古賀先輩《こがせんぱい》から聞き出したんだ。一人で行こうかとまよったが、一応《いちおう》おまえたちにもつたえによった。今日、千葉県《ちばけん》の代表を決めるインターハイの予選《よせん》だ。十時からだそうだ。姉崎《あねさき》の工業地帯《ちたい》の特設《とくせつ》コースに先輩たち、走りにいってる！」

「オレは今から見にいくぞ、小野田はどうする？」と聞かれ、まよっていると、「じゃ、ワイは行く」と鳴子もいっしょに、二人は教室を飛び出してしまった。あわてて坂道が追いかけると、先生が教室に入ってきた。

「なにをさわいでるんだ。授業《じゅぎょう》を始めるぞ」

「急用《きゅうよう》です」と答えるやいなや、坂道もかけ出し、二人を追った。

「くっそ、あのグラサン部長《ぶちょう》、なんでもかんでもヒミツにしくさって‼　ホンマはらたつわ‼」と鳴子《なるこ》が走りながらさけんだ。

「ようするに県予選《けんよせん》では、オレたちは必要《ひつよう》ないってことだろうな」と今泉《いまいずみ》が冷静《れいせい》に答えた。

「今から行って間に合うかな……次《つぎ》の電車、各駅《かくえき》しかないよ」と言う坂道の心配をよそに、「見たるぞ、意地《いじ》でも現場《げんば》に行ったる」と、三人は駐輪場《ちゅうりんじょう》に急いだ。

「ほんの二、三十キロやろ、自転車のが早いわ」と鳴子が言うと坂道はこまった顔をした。

「いや、あのボク、今日、練習ないって聞いたから、ママチャリしかないんだ」

「心配するな。会場までオレたちに乗っていけ‼」

三人は自転車にまたがり、たてにつながって、うら門坂を下り、会場へ急いだ。

総北《そうほく》高校三位《い》!?

学校から三十キロほどはなれた姉崎《あねさき》の工業地帯《ちたい》。ここが全国高等《こうとう》学校自転車競技《きょうぎ》大会　千葉《ちば》県予選の会場だ。

「高校生自転車ロードレース　インターハイ予選会実施《じっし》のため　十四時まで通行止」と書かれたかんばんがあった。レースは自動車道を通行止めにして行われるのだ。会場はマシンの点検《てんけん》など、レースの準備《じゅんび》をする生徒たちなどでごった返していた。

ロード男子の予選は、一校三人が五キロの周回《しゅうかい》コースを十周、五十キロを走る。

周回とは、コースをぐるぐると回ることだ。

「えろう、すんまへん、通してや」と鳴子《なるこ》がうまく人ごみをかき分けて、コースサイドまで出た。今泉と坂道はあとに続いた。三人はすぐ目の前のコースのところをじんどった。

すると、まもなくトップ集団《しゅうだん》のすがたが見えた。

「お。きたぞ！　トップ集団きた！」

「すごい、競《せ》ってるぞ!!!」

ジャアアアアアアアアアアアアアアアアアアアアア
すごい音がして、そろいの白いジャージが三台と、すぐ横にぴったりとはりつく黒いジャージが三台。六台の塊《かたまり》が通っていく。

「やっぱり柏東《かしわひがし》だな。幕張京葉《まくはりけいよう》はおされている」と観客《かんきゃく》が口々《くちぐち》に言っているのが聞こえた。

「柏東のエース柳田《やなぎだ》は強ぇえぜ。幕張、おされてるな」

「先輩《せんぱい》たちは……？」

三人はあせった。どこにも先輩《せんぱい》たちのすがたが見えないのだ。

「もう八周目《しゅうめ》やで。残《のこ》り二周や！」

目の前の光景《こうけい》が信じられないとまばたきもせず、「負けとるんか。おい、なにをやっとんのや、田所《たどころ》のオッサンは!!!」と鳴子《なるこ》がじだんだをふんだ。

そして、何十秒《びょう》かたったころ、右手から音が聞こえてきた。

シャアァアアアアアアアアアアアアアアアアアアア
「来た……あれだ」

かたに赤いラインが入った総北《そうほく》の黄色《きいろ》いジャージ。

金城《きんじょう》、田所、巻島《まきしま》がやってきた。

シャアァアアアアアアアアアアアアアアアアアアア
三人の前を通りすぎるとき、鳴子が声援《せいえん》のつもりで、大きな声をかけた。

「オッサン、昨日《きのう》の気合《きあ》いはどうした。先頭《せんとう》に五十秒以上、差《さ》がついとるで!!!」

すると、田所は通りすぎざまに口を動かした。なにか言ったみたいだ。

三台が行ってしまったあと、「おいオッサン、最後《さいご》になんて言った?」と、鳴子が聞くと、

「見とけよ。トップに一分差《さ》をつけてゴールすると、そう言った」と今泉《いまいずみ》が答えた。

総北《そうほく》名物『肉弾列車《にくだんれっしゃ》』

「一年、来てたっショ」

予選《よせん》レースを走行中《そうこう》なのに、巻島《まきしま》は観客席《かんきゃくせき》にいる坂道たちを一瞬《いっしゅん》で見つけ出していた。

田所《たどころ》も見えていたようで「やっぱり来たな。おい金城《きんじょう》、アレやるぞ」と言った。

金城は「ああ」とうなずいた。田所がサドルから、しりをうかせた。

「おおおらオラオラ〜!!」

それを合図《あいず》にハンドルの一番下をもち、体を思いっきり前傾姿勢《ぜんけいしせい》にして、ロケット加速《かそく》を始めた。

「どけ!! じゃまだ、柏東《かしわひがし》!!!」

そうさけぶ田所《たどころ》を風よけにして、巻島、エース金城もあとに続いた――。

「すぐ、うしろ、来てます!」

先頭《せんとう》を走っていた柏東チームはあせった。

それがさっきまで二番手にいた幕張京葉《まくはりけいよう》ではないことが、柏東をもっとおどろかせた。

「そ、総北《そうほく》!? バカな、幕張京葉は!? どこでぬかれたんだ!?」

柏東の主将《しゅしょう》が走りながら、「柳田《やなぎだ》をにがせ！」と指示《しじ》を出した。
その声を合図《あいず》に、「柳田さん、自分が風よけになりますから、うしろに入ってください」と一人が飛《と》び出した。そして、その選手《せんしゅ》を風よけに、柳田も飛び出した。

すると、そこに黒く大きなかげがスッと近づいた。

「ムダだな。そのていどの〝にげ〟じゃ、すぐにつかまっちまうぜ」

声の主は、田所だ。


「どけ柏東!!」

ガァァァァアアアアアアアアーーーー

田所を風よけにして、巻島と金城が行く。

「出た!!　総北《そうほく》名物『肉弾列車《にくだんれっしゃ》』だ!!!」

観客《かんきゃく》のだれかがさけんだ。

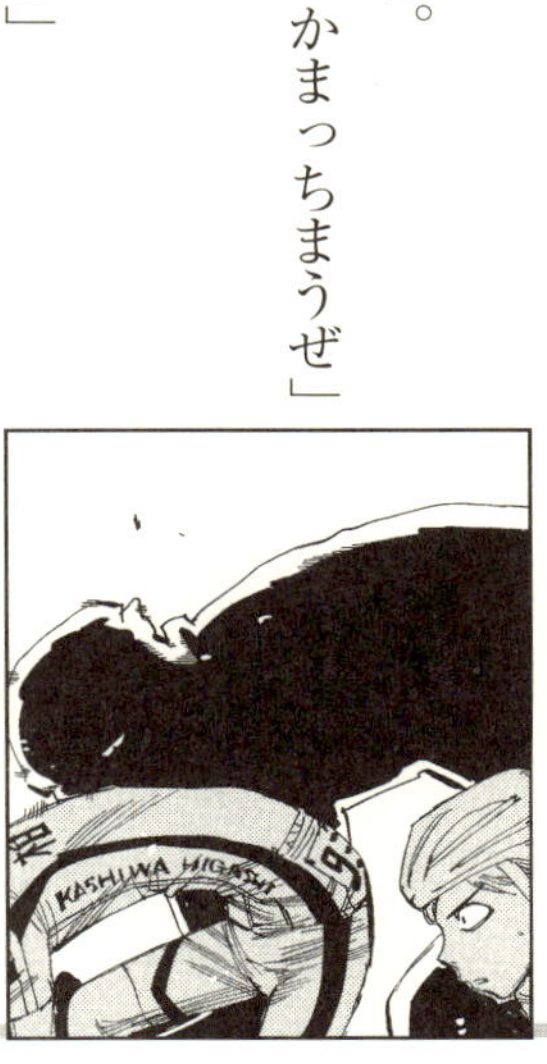

まるで、アスファルトに線路《せんろ》がしかれたかのように、三両編成《へんせい》のマシンが行く。そのすがたはまさに超特急《ちょうとっきゅう》列車だった。

追いぬきざまに、田所《たどころ》は柳田《やなぎだ》に声をかけた。

「悪いが、うちの一年のほうが、根性《こんじょう》ある走りをするぜ」

「だれもが全力で回しているのに、そこに追いついて、さらに一分以上《いじょう》の差《さ》をつけるなんて、できるのか……。だとしたら、うちの先輩《せんぱい》たちは、ほかとの実力差がすごいってことじゃないのか!!　そんなに強いのか」

坂道がおどろいていると、

カラン、カラン、カラン、カラン、カラン

ラスト一周《しゅう》を知らせるかねが鳴らされた。

「うちは？」

坂道が心配そうに身を乗り出すと、鳴子《なるこ》が「見んでも、わかるがな」とぼそっと言った。

「総北《そうほく》がトップだあぁ!!」

「総北つええ!!」

観客《かんきゃく》がわいている。

金城《きんじょう》の作戦《さくせん》

三人は最後《さいご》のゴールは見ずに、コースサイドをはなれた。

先輩《せんぱい》たちのあまりの強さを見て、力なく地面にどっかりとこしを下ろした。

「ゴール、ワンツースリーフィニッシュは総北《そうほく》高校、金城選手《せんしゅ》、田所選手、巻島《まきしま》選手です」

結果《けっか》を伝える放送《ほうそう》が、遠くのスピーカーから風に乗って聞こえてきた。

どーんと空気が重い。

その重さにたえかねて、坂道が「あっ、勝ったみたいだね、これでインターハイに行けるんだよね」と口を開いた。

「……」

今泉《いまいずみ》も鳴子《なるこ》もなにも言わない。

二人がだまっている理由がわからない坂道は「いや、なんでもないよ。ははははは」とごまかすしかなかった。

するととつぜん、「やっぱ、アカン。ちょっと自転車、乗ってくるわ」と鳴子が立ち上がって歩き出した。

そして、すぐに今泉も「オレも……」と立ち上がった。

「どうやったら田所《たどころ》のオッサンをたおせるか、考えがまとまらんのや」

「どうにかして金城《きんじょう》さんをエースの座《ざ》から引きずりおろさねぇと……」

そして、声をそろえて「三年生たちが卒業《そつぎょう》する前にな!!」
と言った。

「なんでマネすんねん、キモいわ」と鳴子が言うと、

「おまえだろ、ていうか、おまえにもひと言、言っておく」と今泉が返した。

そして、たがいを見ながら声をそろえて「おまえとの勝負《しょうぶ》はそのあとだ」と言った。

それを見て、坂道はホッとして言った。

「よかったー、ボクはてっきり二人が落ちこんでいるのかと思った」

「落ちこむ？　なんでやねん。ともかくカベや。先輩《せんぱい》たちはワイの前にそびえるカベ。今日見に来たおかげで、ようわかった」と鳴子が言った。

そして、鳴子はこぶしをにぎって力強く言った。「カベは、こわす!!」
今泉も決意《けつい》をかためた目で言った。「こえていく!!」
坂道は大きく、それにこたえた。「うん、ボクも!!」

ちょうどそのとき、試合《しあい》を終えて練習用ジャージに着がえた先輩《せんぱい》たちがあらわれた。
よんでいない一年が来ていることに、おどろいた様子もない。
坂道たちはきんちょうしながらあいさつした。
「チワス」と今泉《いまいずみ》。
「おつかれさまです」と坂道。
「ちゃーーす」と鳴子《なるこ》。三人はそれぞれの言葉で頭を下げた。
今泉が金城《きんじょう》に質問《しつもん》した。
「なんでオレたちはよばれなかったんですか!?」
鳴子も不満《ふまん》を言った。
「それどころか、予選《よせん》をやる日も聞かされてなかったしなァ」
「必要《ひつよう》ないと判断《はんだん》したからだ」と、金城がキッパリと言った。

「必要ないッすか……」と今泉はちょっとふてくされた表情《ひょうじょう》で、おこっているようだった。

「そうだ。見せてやる必要はない。だから学校に残《のこ》した」

サングラスのおくの目は見えない。

「見せてやるとは、一体、だれにだろう？」と坂道たちはその意味がわからなかった。

すると金城が続けた。

「おまえらは気づかなかったか。いただろう、見なれないジャージのヤツらが。

石川県代表の金沢三崎《みさき》工業、奈良県《ならけん》代表の山理《さんり》学園、東京都代表の西多摩《にしたま》大学附属《ふぞく》。

うちは千葉県《ちばけん》では常勝校《じょうしょうこう》だからな。こういう大会ではマークされてデータを取られるんだ。

今日、ヤツらの目に、うちのチームは一年のいないうすい層《そう》のチームにうつっただろう」

ていさつが来てた？　それには鳴子も今泉も気づいていなかった。

「ていさつに来たヤツらに、わざわざおまえたちのデータを取らせてやる必要はない。おまえたちにはインターハイであばれてもらうつもりだからな!!　だが、今の実力ではまだまだ。インターハイまで残《のこ》り二カ月、強くなってもらう。ハードだが、ついてこい」

金城《きんじょう》は一年を見すてているわけではなかった。先の先までを考えていたのだ。

「のぞむところや!!」と鳴子《なるこ》はガッツポーズをした。

「うす!!」と今泉《いまいずみ》はうなずいた。

坂道は、ワクワクしていた。

いよいよ合宿

「えーーーーーーっ、合宿……って、神奈川《かながわ》県まで行くんですか〜!?」

坂道は合宿に向かうバスの中で、すっとんきょうな声をあげた。

総北《そうほく》高校自転車競技《きょうぎ》部を乗せたバスは、高速道路《こうそくどうろ》を西へ西へと向かっているところだ。

すかさず先輩《せんぱい》たちから、「千葉県《ちばけん》の合宿施設《しせつ》が箱根《はこね》をこえたところにあるんだ。住所で言えば、静岡《しずおか》だぞ」という声が返ってきた。

「箱根!?　えー、静岡県ーーーーー!!!」

目をまるくしておどろく坂道。

千葉県で生まれ、そこでずっと育った坂道は、千葉県内とアキバ以外《いがい》はほとんど行ったことがない。だから、静岡県なんて言われたら、まるで知らない迷宮《めいきゅう》に連れていかれるかのように思えて、声を出したのだった。

どこに行くのか、やっとわかった坂道に、となりの席にすわっている鳴子《なるこ》が言った。

「場所はどこでもええんちゃうか、小野田くん。合宿なんだから重要《じゅうよう》なんは思い切り走れるかどうかやろ」

なにを今さら、おどろいてるねん、とあきれ顔だ。

「う、うん。そうだね」

合宿所に近づき、バスが高速道路からおりるころ、金城《きんじょう》が部員《ぶいん》たちに説明《せつめい》を始めた。

「いいか、みんな。合宿施設《しせつ》には、自転車専用《せんよう》サーキット『サイクルスポーツパーク』がある。全長五キロ、高低差《こうていさ》百三十メートル。信号もなければ車もいない。思うぞんぶん、練習ができる……おまえらがバテなければな!!」

その話を聞いているのか、聞いていないのか、今泉《いまいずみ》は長身《ちょうしん》をおりたたむようにしてシートに深くもたれて、目を閉じている。体力を温存《おんぞん》し、移動《いどう》の時間をすいみんにあてているのかもしれない。いつも冷静《れいせい》で、あわてたりおどろいたりしない。

「そして……みんなわかっているとは思うが、例年通《れいねんどお》り、この合宿で夏のインターハイ出場のメンバーを決める。ないてもわらっても、勝負《しょうぶ》の四日間になるからな」

金城《きんじょう》がおもおもしく言った。

インターハイ……。

それは全国高校選手権《せんしゅけん》で、都道府県《とどうふけん》代表が集まって日本一を決めるはなやかな大舞台《おおぶたい》だ。

総北《そうほく》高校は、すでに千葉県予選《ちばけんよせん》を突破《とっぱ》して、全国大会のキップを手にしている。つまり千葉県で一番強いチームなのだ。

つくづく坂道は、なんとも強豪《きょうごう》チームに入部《にゅうぶ》してしまったものだ。

高速道路《こうそくどうろ》をおりたバスはくねくねとした山道を登り出した。合宿所が近づいてきたことを感じたのか、鳴子《なるこ》が興奮《こうふん》した様子で身を乗り出して言った。

「カッカッカ。楽しそうなトコやんけ!! もえるな、小野田くん!! 見せたろうやないかい、ワイらのヒミツの特訓《とっくん》の成果《せいか》というやつを!! な……小野田くん……」

うっぷ……。

小さな音が聞こえた。坂道の様子がおかしい。

「どないしたんや、小野田くん。気分でも悪なったんか」

うっぷ。

「こらあかんわ。車よいや。運転手《うんてんしゅ》さん、すんませーん、車、止めたってくださーーい、小野田くんがあかんみたいやーーー!!」

坂のとちゅうで、車は急停車《きゅうていしゃ》した。坂道は車からおりて、路肩《ろかた》にひざをついて、ゲゲゲーっと、はき始めた。鳴子《なるこ》はそのあとを追ってバスからおり、坂道のせなかをさすっている。

顔はまっ青《さお》だ。坂道はぐったりしていた。

なんてことだ。自転車の猛《もう》練習をこれからするというのに、たどり着く前にとんだアクシデント。こんなことじゃあ先行《さきゆ》きまっくらだ。

「つーかよ、こいつ、坂道には強いんじゃなかったのかよ。わらうんだろ、坂を登るときに。ははは」と田所《たどころ》があきれたように言った。

そこへ、金城《きんじょう》がバスからおりてきた。

「小野田をここにおいて出発しよう」

ざんこくに聞こえる金城の決断《けつだん》に、坂道のせなかをさすっていた鳴

子はおどろいて言った。

「はぁ!?　せやけど小野田くん、つらそうですけど……」

「現地《げんち》十時入り、十一時練習開始《かいし》の予定《よてい》をずらしたくない。もう出発しよう」

金城はきびすを返しながら言った。


あわてた坂道は「だいじょうぶです、みなさん、すみません」とは言ってはみるものの、立ち上がったとたんによろけて、地面にころがってしまった。

実は金城はちゃんとフォローは考えていたので、こう続けた。

「寒咲《かんざき》自転車店の機材車《きざいしゃ》がこちらに向かっている。一時間後にここを通るはずだから、その車にひろってもらえ。その間、小野田は休けいできるだろう」

「そういうことすか」と鳴子もなっとくした。

こうして、坂道を路上《ろじょう》においたままバスは出発した。

全国優勝《ゆうしょう》を目指《めざ》すチームは、こうまできびしいのか。

鳴子《なるこ》が心配そうに、いつまでもバスのまどから坂道を見ていた。

「むかえが来るまで、自販機《じはんき》で水を買って、水分補給《ほきゅう》しておけよ」

金城《きんじょう》の声がバスから飛《と》んできた。

「わ、わ、わかり……ましたー。はぁ、はぁ、はぁ」

坂道は声をしぼり出した。

ブロロロと音を立てて遠ざかっていくバスに向かって、坂道は深々《ふかぶか》と頭を下げた。

「すみません、みなさんにごめいわくをかけて」ともうしわけない気持ちだった。

こうして坂道は、急にひとりぼっちになってしまった。
ああ、しんどいなあ。あう……まだ、なんかふわふわして気持ち……悪い。
よろよろと歩いたところに、自動販売機《じどうはんばいき》があり、
坂道はホッとした。
よかった。水を買おう、サイフ、サイフ……。
前ポケットの右、左に手をつっこむ。

ない！　あーーーーーーー！
サイフはバスの中だ。かばんの中に入っているんだ!!
ああ、水がのめないとわかったら、もっと気持ち悪くなってきた、
……うっぷ。

心がおれそうになった坂道は、自分に言い聞かせた。
へこたれるな、小野田坂道！
思い出せ、あの日々《ひび》を!!　のどがカラカラにかわいていたのに、
ガッシャポン一回のために、ジュースをがまんした日々を！

ところが、この自分へのエールはまるできき目がなかった。
自動販売機がくにゃっとゆがんで見えたかと思うやいなや、
力がぬけて、道ばたにドタンとたおれこんだ。

み、み……水。

アスファルトは日にあたってあたたかい。体は動けない。

新緑《しんりょく》の葉がゆれている。チチチ、チチチチと鳥が鳴く声が遠くで聞こえる。

時が止まったかのようだった。

どれくらいの時間がたっただろうか。

箱根《はこね》の自転車乗り

「アクエリでもいいかい？」

ふいに知らない声がした。

坂道は顔を起こして見上げたが、太陽を背《せ》にしてこちらを見ているので顔がかげになって、よく見えなかった。

すると、スッと水とうが差《さ》し出された。

え……。

なにが起きたのかよくわからず、ただ見上げる坂道に、
「いいよ、のみなよ」
その声はやさしく言った。

そこには白いシャツを着た知らない男の子がいた。同い年くらいかもしれない。

え……、だれ……。

不安な表情《ひょうじょう》をうかべる坂道に、
その子はニカッとさわやかにわらった。

「す、すみません。あ、ありがとうございます」

坂道は水とうを受け取ると、ためらわず中の液体《えきたい》をゴキュゴキュと一気《いっき》にのんだ。

ああああ、生き返るーーー。

全身《ぜんしん》に水分がいきわたって、坂道は少し気分がよくなった。

その様子を見て、男の子はうれしそうに言った。

「いやー、今どき、行きだおれている人に出会うとは思わなかったよ。制服《せいふく》を着ているけれど、どこの高校？　このあたりじゃ見ない制服だね」

「あ、はー、はい、あのー」

坂道がモゴモゴしていると、そのすきに、男の子が質問《しつもん》してきた。

「キミ、自転車に乗るの？」

「え？」

なんでそんなことがわかるの、と坂道は言いたげだ。

「なんでぼくが自転車に乗るってわかったんでしょうかって？　その水とうさ。自転車用のボトルだから、ふつうの人は『どうやってのむの？』と聞くの。口をつけるところがキャップになっていて、引きおこすとのめるなんて、自転車用ボトルを使う人しか知らない」

「……」

「ましてやキミは、のみ口をおしこんでのんでいた。そうやってボトルをつぶしてのむと一気に出るんだ。それを知ってるから確実《かくじつ》に自転車に乗ってるーーと思ったね。どぉ？　あたってるでしょ？」

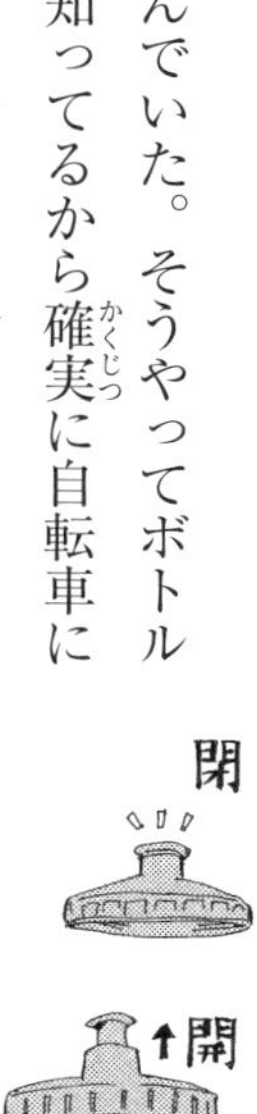

「す……すごい。刑事《けいじ》さんですか!!」
「刑事ぃ？　ぷははは、おもしろいねえ、キミ。んにゃ、単《たん》なる自転車乗りです」
　そのとき、ようやく坂道は一台のマシンが止めてあることに気づいた。

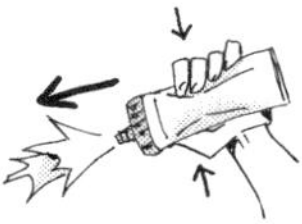

あ、自転車……！
まっ白いピカピカのロードレーサーだ……。

男の子は、矢《や》つぎ早《ばや》に質問《しつもん》してきた。

「キミはどんなのに乗ってんの？　アルミ？　十一速《そく》？」

「坂は好き？」

男の子は坂道の返事を待たずに、自分のことを話し始めた。

「小田原《おだわら》ってわかる？　箱根《はこね》のふもと。生まれも育ちもそこでさ。高校は箱根学園。坂と山にかこまれて育ったせいか、坂を見ると、すぐに登りたくなっちゃって。今日も授業《じゅぎょう》を二時間目までサボっちった。いいんだ。どーせ体育だ。同じあせをかくなら、自転車でかかねーともったいないだろ？　な？」

少し圧倒《あっとう》されていた坂道だが、その人なつっこい笑顔《えがお》につられたかのように、満面《まんめん》の笑《え》みではじき返すように大きな声で返事をした。

「……はいっ」
「おっとやべー。もうそろそろ行くわ、三時間目が始まっちゃう」

「え？」

「メガネの女子委員長《いいんちょう》がいてさ、幼《おさな》なじみでさ、ちこくすると、すげーーおこられるんだ」

かれはそう言うとまっ白なロードバイクにまたがった。

「あ、じゃ、あの、ボトルを……返さなきゃ」

「いーよ、いーいー、あげるよ、それ。まだのむでしょ？」

坂道はその態度《たいど》に見とれていた。

すると、男の子が名乗《なの》った。

「オレ、真《ま》波《なみ》山《さん》岳《がく》。

山でこまっている人はほっとけないのさ」

なんて、かっこいいんだ。


「またねー！」

そう言うと、山岳はさっそうと自転車をこぎ始めた。

「あ……待って、ありがとう……あ……あの……」

坂道はこの水をくれた恩人《おんじん》に、ここでなにか言わなきゃ、と思った。

すると、自分でもおどろくほどの大きな声が出た。

「ボクも、坂は好き！」

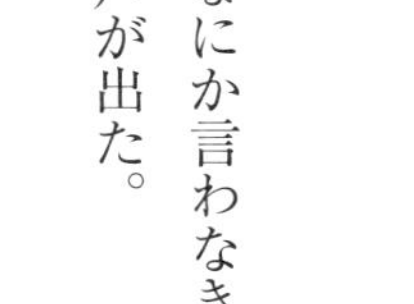

その声を聞いた山岳《さんがく》はクルッとふり返って、「いいね」と左手の親指《おやゆび》をグッと立てて、ウインクをした。そして、ギュッギュッギュッギュとタイヤが路面《ろめん》をつかむ音を残《のこ》して、マシンはどんどん坂を上がって行った。
「真波《まなみ》……くん」
覚《おぼ》えたての名前をわすれないように、坂道は口に出した。

一方、真波山岳は、息《いき》を切らしながら坂を登って、学校に向かっていた。
「ダメだ。どうもダメだなァ。
ちこくしてあせってんのになァ。
坂を登っていると、笑顔《えがお》になっちまう！」

第二章　巻島《まきしま》先輩《せんぱい》

合宿初日

その数時間後《すうじかんご》――――。坂道は寒咲《かんざき》自転車店の車に乗せてもらって、ぶじにサイクルスポーツパークに到着《とうちゃく》した。

富士山《ふじさん》の手前に広がる施設《しせつ》の大きさに、坂道はおどろいた。

「これが……合宿……広い……!!」

一年生四人は早速《さっそく》、敷地内《しきちない》のコースの下見《したみ》に出かけた。

「おい、小野田。コースの下見時間は二十分しかないんだ、急ぐぞ」

一年生をまとめる役をまかされた今泉《いまいずみ》が、コースの説明《せつめい》を始めた。

「えーとだな、コースは左回りだ。スタートしてすぐ下りで、バンクをともなう右カーブ

があって、橋をわたったらかるい登りで、登りきったら直線《ちょくせん》と下り区間およそ一・五キロだ」

「おおお、ここはワイの独壇場《どくだんじょう》やな」

鳴子《なるこ》のうれしそうな声がコースにひびく。

「そして、もう一つの橋をわたったら、全長五キロのこのコース最大《さいだい》の山場、激坂《げきざか》をふくむ一キロ超のつづら折《お》りだ」

〝坂〟と聞いた瞬間《しゅんかん》、坂道は今朝《けさ》、会った真波山岳《まなみさんがく》のことを思い出した。かれは「坂は好き？」と聞いてきたのだった。ボクも坂を見るとワクワクしてしまう!!

今度はボクが自転車に乗っているときに、どこかで出会えて、いっしょに走れたら楽しいだろうな。

そのときは、かりた水とうを返さないと。

坂道はそんなことを考えながらコースを歩いた。

コースの下見《したみ》からもどると、金城《きんじょう》が部員《ぶいん》たちに、合宿の説明《せつめい》を始めるところだった。

「みんな気づいていると思うが、この合宿には何人か来ていない者がいる。一年の桜井《さくらい》は体調不良《たいちょうふりょう》。二年の古賀《こが》と谷口は去年、この合宿を体験《たいけん》しているから練習についてこられないと判断《はんだん》しての辞退《じたい》だ」

それを聞いて、一年生はこの合宿はどれだけきびしいのだろうかと不安になった。

「練習の内容《ないよう》を発表する。いたってシンプルだ。とちゅうの休みやインターバルは各自《かくじ》が自由に取っていい。目標《もくひょう》は四日間で千キロ走破《そうは》だ!!」

千キロ合宿――――!?

千キロなんてピンとこないが、坂道はゴクリとつばをのんだ。

「ウエルカムレースが六十キロだったから……一日にそれの四倍強《ばいきょう》走って、それを四日間やるんだ!」と杉元《すぎもと》が計算してみせた。

「全員、発信機《はっしんき》をつけて走れ。それが電光掲示板《でんこうけいじばん》に反応《はんのう》して、距離《きょり》と周回数《しゅうかいすう》が出る。だから不正はできない。電光掲示板を見れば、だれが何周《なんしゅう》しているか、すぐわかる」

スタート／ゴールラインのそばにおかれた電光掲示板に、各部員《かくぶいん》の走った距離が表示される仕組《しく》みだ。

「そして、今泉《いまいずみ》と鳴子《なるこ》、おまえたちには特別《とくべつ》メニューがあるから、来い」

「特別？　なんやねん！」

鳴子が聞くと、金城は「自転車だ」と答えた。

「ああ、そういや、ワイらの自転車だけ見あたらんかったで」

今泉と鳴子が金城のあとをついていくと、そこには寒咲《かんざき》自転車店の店長でメカニック担《たん》当《とう》の寒咲通司《とおじ》がいた。

「おお、ワイのはでなチョーかっこいい、ピナレロがあるやんけ。これがなんなんや？」

金城が静《しず》かに言った。

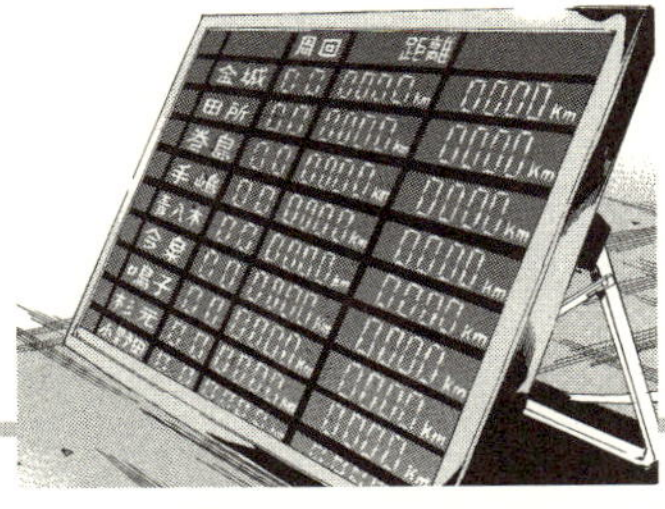

「言ったろう。おまえたちには強くなってもらおうと、寒咲《かんざき》さんにしかけをたのんだんだ」

鳴子《なるこ》は自転車を見ると顔色を変えた。

「なんや……これ。おい!!　ちょいまて、コレ、どうなっとるんや!!」

鳴子のマシンはドロップハンドルがバーハンドル※1に変えられていた。

金城《きんじょう》が「鳴子、おまえには下ハンができないようにさせてもらった」と説明《せつめい》すると、「なに?」と鳴子は目をまるくしておどろいた。

「そして、今泉《いまいずみ》。おまえのは、シフター※2を使えないようにさせてもらった。ギアチェンジができない」

「………」

今泉もおどろきをかくせない。

「これで千キロを走れ。合宿中、これを元《もと》にもどすことはゆるさない」

二人は着がえると、すぐに外に出た。

※1　バーハンドル…横一直線の棒《ぼう》の形をしたハンドル。

そして、しかけがほどこされたマシンに乗ると、鳴子が絶望的《ぜつぼうてき》な声を出した。

「うおお、なんや、この力の入らんハンドルは！　重心《じゅうしん》が高い!!　ふらつく!!!　くそ、スピードがのらん!!!　くそ!!　あのグラサン部長《ぶちょう》、合宿のメニューもムチャクチャなんかと思ったが、ワイのマシンまでムチャ仕様《しよう》にしてくれるとは……!!」

もともとスピードを出すためのロードバイクには、いろんな走り方ができるようにドロップハンドルがついている。ふだんはシフトレバーのブラケットに親指《おやゆび》をかけてもち、ふつうに走るときは、横のバーを持つ。そして、加速《かそく》や高速《こうそく》で走るときはたてに持つ。とくに加速するときに使う下ハンドルは重要《じゅうよう》だ。下の方をもつことで、風の抵抗《ていこう》をへらし、なおかつ高速走行《そうこう》ができるのだ。

「ああ、なんてこった。ハンドルポジションを下げて、風をかわすのがワイの得意技《とくいわざ》、ス

※2　シフター…変速《へんそく》をするための装置《そうち》。

プリンターのメインステージ!! せやのにバーハンドルとは!!!」

思い通りの走りができない鳴子《なるこ》は一台、また一台とぬかれ、そのたびに舌打《したう》ちした。

「うわあ、うそやろ、杉元《すぎもと》にまでぬかれた!! ああ、田所《たどころ》のオッサンだけやない、二年の先輩《せんぱい》にもガンガンぬかれとる、どんどん差《さ》が広がる!

このしせいやと、力が入らんのや。力を入れようと体を起こすと、前からの風がじゃまをする。アホか、浪速《なにわ》のスピードマンは風と友だちなんやぞ!! なのに今、風が最大《さいだい》のてきとは!! くそ……あせる。あせるのに前に進まん、くそおおおぉ!!」

今泉《いまいずみ》も同じように苦しんでいた。
「ギアがえらべないから、シフトチェンジができない。このアップダウンの多いコースを固定《こてい》ギアで回れってのか!! 千キロをこれでのりきれってのかよ!! くそぉおお!!」
自転車は坂の斜度《しゃど》に合わせてこまかくギアを変えて登る。

ロングライドの場合、ギアのこまめな調整《ちょうせい》が体力の消《しょう》もうを少なくしてくれる。でも、それができない今泉はダンシングで登るしかない。このダンシングが体力をうばうのだ。最適《さいてき》なギアで、最適なラインを走るという今泉のもち味が封《ふう》じられてしまったのだ。

二人はあたえられたハンディキャップにあがいた。

日が高くなってきた。暑さも体力をうばう。

封《ふう》じられた得意技《とくいわざ》

そのころ、巻島《まきしま》が走りながら金城《きんじょう》に話しかけていた。

「そんで、小野田にはなにもしかけ、ナシなの?」

金城はなにも答えない。

「イイの? 金城ぉ。だってさ、ウエルカムレースの結果《けっか》で、インターハイメンバーを二

人決めるって言ってたっショ。なのに、あのとき決めなかったのは、小野田ののびしろを期待《きたい》しているからなんショ？」

金城《きんじょう》は前方《ぜんぽう》を見たまま、ペダルをふみこんでいる。

「なのに、あいつの自転車には細工《さいく》ナシなの？」と巻島《まきしま》が聞くと、

「いや。あいつには言っていないだけだ」と金城が答えた。

「へ？　小野田はなにも知らないわけ？　小野田のマシンになにをしかけたの？」

巻島が知りたがるので、金城が「しかたない」と、ようやく口を開いた。
「あいつには説明《せつめい》しても、よくわからないだろうから言ってないだけだ。ちょっと見ても気づかないと思うが、登りを封《ふう》じるしかけがしてある。千キロは過酷《かこく》だ。一日に二百五十キロの距離《きょり》を、ペースを作り、コンディションを整えながら四日間、走り続けなければならないんだ。あいつには体でいろいろとおぼえてもらうつもりだ」
「千キロはただでさえ大変《たいへん》なのに、あの三人にはしかけもついてるってわけ……ショ？」

「そうだ。ヤツらにかかる負荷《ふか》は相当《そうとう》なものだろう。だが、やりとげてもらう。インターハイのたたかいは、そんなもんじゃないからな」

「もし、この合宿で千キロをクリアできなかったら？」

「……即刻《そっこく》、戦力外《せんりょくがい》だ」

サングラスのおくのひとみがギラッとするどく光った。

「坂が楽しくない」
最初の上り坂で、坂道がつぶやいた。
こいでいるのに、ちっとも登っている気がしない。息《いき》ばかりが苦しくなる。
どうしたんだろう、はじめての合宿だからきんちょうしているのかな。
ウエルカムレースのときはあんなに自由《じゆう》に登れた坂が……、
なんだか体が重たくて、登れない。坂が……坂がちっとも楽しくない……。
いつもならぐんぐん登っていくはずなのに、進まないのだ。

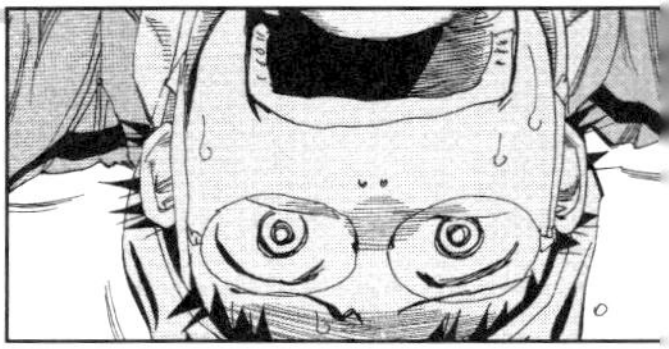

こんなんじゃ、鳴子《なるこ》くんにも、今泉《いまいずみ》くんにも、みんなにも近づけない……。
坂道はだんだん不安になっていった。
この四日間、どうなってしまうのだろう。
千キロなんて、走れるのだろうか……。

どこにしかけが!?

坂道はやっと五周目《しゅうめ》だ。だれよりもおくれている。また、あの上り坂の入り口で杉元《すぎもと》にぬかれてしまった。

「ボクは今日、調子《ちょうし》がいいみたいだよ。今泉くんや鳴子くんもぬいているし。これで六周目、キミは周回《しゅうかい》おくれだ。じゃ、お先っ」

周回おくれ？　先に行かれた杉元に、追いつかれて、またぬかれたということだ。つま

り坂道が五周走っているうちに、杉元は六周走っている
ことになる。
それを聞いて、坂道はあせった。

ぐるぐるぐるぐるぐるぐる

得意《とくい》のハイケイデンスで走っても、杉元にまったく
追いつけない。
「無理《むり》しなくていいよ、マイペース、マイペース！　じゃあっ！」
杉元はよゆうで、片手《かたて》をあげながら、先に行ってしまった。うれしそうだ。

どうしちゃったんだろ。
坂で足が動かない。なにかにうしろから引っぱられているような感じだ……。
どうしたんだ、ボク……!!

山岳《さんがく》に「坂は好き？」と聞かれて「好き」と答えたことを思い出した。
でも、坂が好きだったのは、たまたま登れていたからだったのかもしれない。
そう思ったら、足から力がぬけて足がすべった。
カラカラカラカラ……。ペダルが空回《からまわ》りした。

坂道はがっくりして自転車からおり、目の前の上り坂を見上げた。

すると、それが巨大《きょだい》なカベに見えて、とても登れそうにないと思った。

ハァ、ハァ、ハァ、ハァ、ハァ
杉元《すぎもと》が行ってしまったあと、自分の息《いき》の音だけが大きくひびいて聞こえた。

四日間で千キロ走らなきゃいけないのに、まだ全然《ぜんぜん》、走ってない。なのに足が重い。坂を登るのが楽しくない。

だめだ。無理《むり》だ。限界《げんかい》だ……。


そのとき、うしろから声が聞こえた。

「やれ……やれ。よぉ、ルーキー!!!」

同時に見おぼえのあるマシンが近づいてきた。巻島先輩《まきしませんぱい》だ！

「そいつを今までと同じギアで回しても、回るわけないっショオ!!」

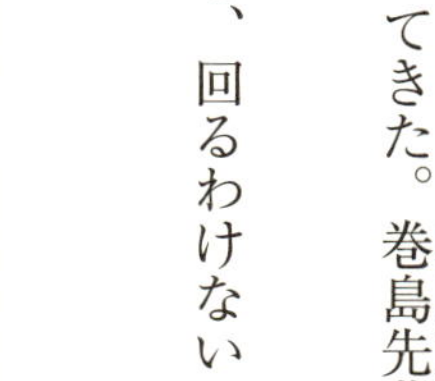

巻島《まきしま》は、通りすがりに坂道のせなかをバンとたたいた。

そして、少し先でマシンを止めて、ふり返って言った。

「教えてやろうか、おまえが登れなくなったわけを」

巻島はくちびるに少し笑《え》みをうかべているような顔をして、「ふつうは五周《しゅう》もすれば気がつくんだよ」と言ったが、坂道はなんのことかさっぱりわからず、ぼう然《ぜん》としていた。

「クク、くらい顔だなあ。ったく、ドシロートと言うか、ドマジメと言うか。おまえ、自分でせおいこみすぎなんだよ」

「はい……」

「自転車の世界はだな、レースに負けたら機材《きざい》をうたがえ、レースに勝ったら自分をたたえろ、だぜ？」

「え……、どういうことですか？」

「わからないかあ？　しょうがないな。

でも、金城《きんじょう》には言うなって口止《くちど》めされているからなァ、クハハハハ」

なんで坂を登れないか、ヒントを出したつもりだったのに、坂道は全然わかっていない。

巻島は頭をガリガリとかきながら、坂道から目をそらしながら言った。

「だったらあれだ、ここから先はオレのひとりごとだ……」

「え！」

「今泉《いまいずみ》や鳴子《なるこ》と同じ、おまえの自転車にもしかけがしてある」

「ええっ!!! 見たところ、ハンドルも変速機《へんそくき》もどこも変わってませんけど……」

まだわかんないのか、と巻島は自分のマシンからホイールをはずした。

「口で言うよりやってみるか!? オレのだ、持ってみろ」

「はい。タイヤ、タイヤですか？ うわ、かるい！」

「タイヤじゃねーよ」

次《つぎ》に巻島は坂道のマシンのホイールをはずした。

「ほらよ」

「うわあ、重い！」

坂道はうけ取ったホイールを持ち上げようとしたが、重くて地面に落としてしまった。

「わかったか、おまえのしかけ。今までのように登れなかった理由はホイールだ」

「ホイール……」

「ホイールは自転車にとってはクツだからな。一流の陸上選手《りくじょうせんしゅ》がかるいクツを求めるのと同じで、クライマーはかるいホイールを好む。こいつがかるいのと重いのとでは天国と地《じ》獄《ごく》。ホイールを重くするのはクライマーの手足をしばるのと同じだ」

「しかも……」

そう言うと、巻島《まきしま》は坂道のホイールをコロっところがした。すると最初《さいしょ》はコロコロところがっていたが、だんだんグラングランとふらつきだして、まもなくガシャンとたおれた。

「見たか？　このホイールは部室《ぶしつ》のスミにころがっていた年代物《ねんだいもの》だ。バランスがくるっていてまっすぐころがらない。金城《きんじょう》がやろうとしているのはクライム封《ふう》じだ。つまり、登れないようにしかけたんだ」

突破《とっぱ》する

坂道はショックをうけた。今の自分には上り坂しか武器《ぶき》がないのに、それを封《ふう》じられたのだ。

そんな気持ちをさっしてか、巻島は同情《どうじょう》するように言った。

「おまえには登りしかない。オレもそうだった。まわりの連中《れんちゅう》は登りに向いてねェつったけど、オレには向いてるっていう確信《かくしん》があった。だから登った。

登って、登って、登りまくった。雨の日も寒い日も。指先《ゆびさき》が切れて動かなくて、シフトチェンジができなくなっても登った。夜中も朝も登った。そして――」

坂道はごくりとつばをのんだ。

「そして、確信《かくしん》を証明《せつめい》することができたんだ。峰《みね》ヶ山《やま》クライムレースで勝った。そうしたら、ようやくまわりの連中がなにも言わなくなった」

坂道は、巻島先輩《まきしませんぱい》が見かけとはちがって、あついハートを持っている、と思った。

「小野田よ。得意《とくい》なモンが一つだけあって、そいつにフタをされたらーーどうする。

待つ？

にげる？

それとも遠回《とおまわ》りする？

落ちこむかァ？」

巻島は一本指《ゆび》を立てて、天を指《さ》した。

「突破《とっぱ》するっきゃないっショ。オレら、それしかないんだから」

坂道のほおをあせが一本、ツーとつたった。

「オレは、オレを自転車でしか表現《ひょうげん》できねェ。だからペダルを回す。おめェはどうだ。やりたいことが残《のこ》ってんなら、つべこべ言わずに回すしかないっショ？

っつーことで、長いひとりごと、終了《しゅうりょう》」

巻島はペダルにシューズを固定《こてい》すると、ふり返りもせずに走り去ろうとした。

「あっ、まっ、待ってください、巻島《まきしま》さん」

坂道はあわてて追いかけようとマシンにまたがったが、ホイールの重みが足にズンときて進めなかった。

それを見た巻島が、今度は二本、指《ゆび》を突《つ》き出して言った。
「ギアを二枚落とせ。周回《しゅうかい》ペースは落ちるが、ラクに回せるはずだ」
それだけ言うと、巻島は先に行ってしまった。

坂道は言われたとおりに、こぎ始めた。

あっ、おそいけど回る。そうか、ボクは回すタイプだから、回せるほうが楽なんだ。

よし、これなら……!!!

坂道の目に希望《きぼう》のほのおがともった。

その様子を遠くから見守っていた巻島は、「ククッ、すなおだねェ……」と目を細めた。

そこへ、金城《きんじょう》のマシンが近づいてきた。

「おい、巻島。小野田の走りが変わったようだが、なにかふきこんだか？　あいつには、自分で状況《じょうきょう》を判断《はんだん》して、どうしたらいいか考えられる力をつけさせたいんだ。よけいなことは言うなよ」

「ああ、そうだな。あいつはそういう力はめっきりないな。でもまあ、なんだかんだでサ、せなかをおされなきゃ、前に進めないタイプもいるっショ」

「どうだかな」

金城はそれだけ話すと、一人先に行ってしまった。

そのせなかを見ながら、巻島はまた、ひとりごとを言った。

「ククッ。オレが、口止《くちど》めされたら言っちゃうタイプだってわかってるクセに……」

こうして、合宿一日目が幕《まく》をとじた。

各走行距離《かくそうこうきょり》

3年生　金城《きんじょう》　250キロ、巻島《まきしま》　245キロ、田所《たどころ》　280キロ

2年生　青八木《あおやぎ》　230キロ、手嶋《てしま》　220キロ

1年生　杉元《すぎもと》　200キロ（今泉・鳴子より10分早く達成《たっせい》）、

　　　　今泉《いまいずみ》・鳴子《なるこ》　200キロ、小野田　165キロ

坂道は五キロのコースを三十三周《しゅう》、がんばって走ったのだった。

夜はざこ寝《ね》だ。

「下ハン……」と寝言《ねごと》でもくやしがる鳴子、その鳴子の寝相《ねぞう》の悪さにイライラしている今泉、「一年生で一位《い》だ」と自信まんまんの杉元、

「ありがとうございま……巻島さん」と夢《ゆめ》を見る坂道。

みんなが寝静《ねしず》まったころ、金城はひとり、データを入力していた。

「小野田は百六十五キロか。予想《よそう》よりもいいペースじゃないか」

合宿二日目の朝

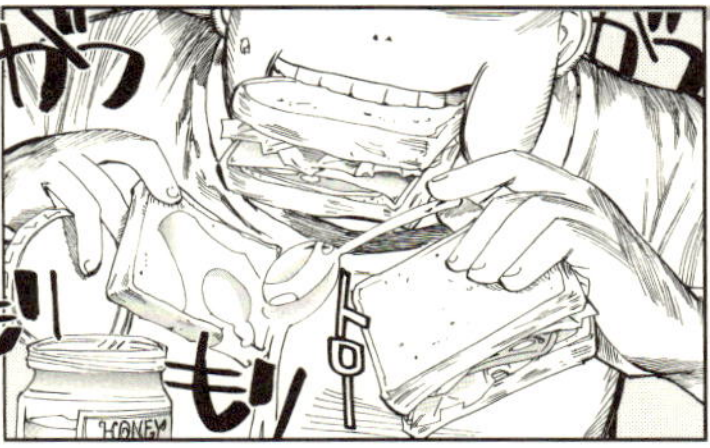

がつがつ……もりもりもり……。

どろろ…がふがふ……。

朝ごはんにやってきた食堂《しょくどう》で、坂道は目をまるくした。

田所先輩《せんぱい》が大きな音を立てながら、食パンにおかずをはさみ、ハチミツをぶっかけたサンドイッチを口の中におしこんでいる。

みんな合宿一日目のランでつかれていて、食欲《しょくよく》がわかないのに、この先輩にはそんなことは関係《かんけい》ないらしい。

今泉があきれたようにつぶやいた。

「パンの上にハチミツをのせてるんだか、ハチミツの上にパンをのせてるんだか、わかんねーな」

たしかに田所がハチミツのびんをかかえたすがたは、まるでクマのようだ。

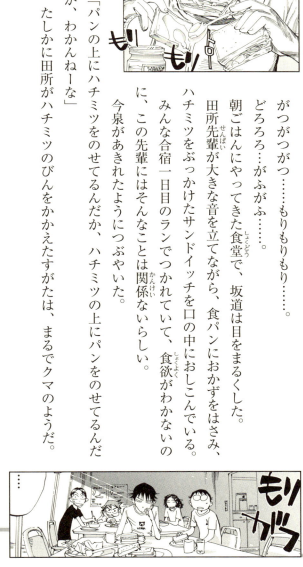

遠《とお》まきに見られていることに気づいた田所《たどころ》は、坂道と今泉《いまいずみ》の近くにのっしのっしとやってきた。まさにクマと目が合ったかのように坂道はかたまった。

田所はどなるように坂道に言った。

「おいおーーい。なに食ってんだよ。そんなちっぽけな量《りょう》のパン、少ねーぞ。おやつか?」

「えーーーーーっ」

「ガハハハハハハ!　もっとぐわーっと、めいっぱい食っとけ。そうじゃないと、合宿二日目でリタイアになるぞ、オイ。ぐわっはっはっは」

「あ……はい」

坂道は迫力《はくりょく》におされて、冷《ひ》やあせをたらした。

田所はそんなことはかまわず、坂道の前にパンがどーんとつみあげられた皿《さら》をおいた。

「しょうがねーから、田所パン屋《や》特製《とくせい》、田所スペシャルバーガーをわけてやるよ。えんりょするな、食《く》え」

そうなのだ。田所はパン屋《や》のむすこなのだった。

「ドヒャーーーーーーーーーーーーデカーーーーーーーー!!!」

坂道はその巨大《きょだい》なサイズに青ざめた。

田所がつくったスペシャルバーガーとは、下から、

ぶどうパン
バナナ
ぶどうパン
ハム&チーズ
ハム&レタス
ジャム&バター
食パン
ハチミツ&レタス
ライ麦パンが重なった九層《そう》

仕立《じた》て《て》のタワーになっていた。

ムリーーーーーーー!!!

坂道は心の中で悲鳴《ひめい》をあげたが、今泉《いまいずみ》が「せっかくだから、もらっとけ」と表情《ひょうじょう》を変えずにクールに、鳴子《なるこ》も「せやな。もろとき」と真顔《まがお》で言ったのでおどろいた。

田所《たどころ》が説明《せつめい》を始めた。

「ロードレースってやつは体のすべてを使うんだ。走りこみでエネルギー、筋力《きんりょく》、持久力《じきゅうりょく》、精神力《せいしんりょく》がすりへり消《しょう》もうするように、胃腸《いちょう》にもじわじわと負荷《ふか》がかかる。そうすると、限界《げんかい》まで走りこんで、いざエネルギーが必要《ひつよう》になったときに食べようと思っても、体がうけつけなくなる。だから朝のエネルギー補給《ほきゅう》は重要《じゅうよう》なのさ」

坂道は、自転車には食事が大切なことを、まだわかっていなかったのだ。

「さて。二日目、行くぞ」と、今泉が立ち上がって坂道に声をかけた。

鳴子も柔軟体操《じゅうなんたいそう》を始め、気合《きあ》いを入れるように言った。

「今日は山場《やまば》や。ワイらは一日目で二百キロしか走れなかったから、一日二百五十キロの目安に五十キロ足りんかった!! ばんかいするには今日しかないッ!!」

今泉と鳴子の千キロ

合宿二日目、今日も暑くなりそうだ。

練習の前に、金城主将《きんじょうしゅしょう》が部員《ぶいん》たちに注意することをつたえている。

「インターバルはそれぞれが自分の実力にあわせて取れ。水分とエネルギーの補給《ほきゅう》もわすれるな」

インターバル？　ああ、休みのことか、と坂道は少しずつ専門用語《せんもんようご》をおぼえていく。

金城の話は続いた。

「インターバルは一回十分から十五分が目安だ。いいか、この四日間で千キロだ。今日は二日目。残《のこ》りの距離《きょり》と周回数《しゅうかいすう》を考えながら走れ！」

その言葉で、部員たちの顔が引きしまった。

いざ、スタートと言うときに、杉元《すぎもと》が質問《しつもん》した。

「キャプテンは、今日、走らないんですか？」

たしかに、金城《きんじょう》はヘルメットもつけていないし、マシンの準備《じゅんび》もしていない。サングラスのおくはあいかわらず、なにを考えているのか読めない。

「おまえたちより三十分あとにスタートする。最初《さいしょ》の三十分は、オレのインターバルだ。一日二百五十キロ走るためには、それで十分に間に合う。言っただろ、インターバルは自分の実力にあわせて取れ、と」

すると、今泉《いまいずみ》と鳴子《なるこ》の目の色が変わった。この二人は、一日目の走行距離《きょり》が二百キロで、金城とは五十キロ分の実力差《さ》があることをあらためて知らされたのだ。

「わかったら、合宿二日目、開始《かいし》だっ!!!」

その金城の合図《あいず》で、全車がスタートした。

「くそ……」

こぎ始めながら、つぶやいたのは今泉だ。

「実力差……実力差かよ。五十キロの!!」

鳴子もこぎながら今泉と同じことをつぶやいた。

「このハンデがでかい……、このマシンで千キロ……か!!」

鳴子はいつものドロップハンドルで走れないことがプレッシャーなのだ。

走りながら、今泉が鳴子に話しかけた。
「どうした？　不満《ふまん》でもあるのか。マウンテンバイクみたいに改造《かいぞう》されたごじまんのピナレロに」
言われたくないことを言われた鳴子は、すかさず言い返した。
「なっ、うっさいわ!!　おまえこそ、グラサン部長《ぶちょう》に差を見せつけられて、ヘコんどるんやろ。さっき青スジが立ってたで。カッカッカ」

すると、今泉は、また鳴子がいやがることをわざと言った。
「たしか田所《たどころ》さんは昨日、二百八十五キロも走ってた。おまえとの差は八十五キロだ！」

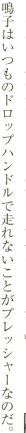

「ぬあっ!!」と鳴子《なるこ》がたじろぐと、「追いつくには絶望的《ぜつぼうてき》な差《さ》だな」と今泉《いまいずみ》はうれしそうに言う。
「カッカカッ、アホか。かるがるとばんかいしたるちゅーねん。オッサンが休んどる間に走りゃ、かるいっちゅーねん!」

インターバルを取らない?

日差《ひざ》しがジリジリとてりつける。
直射《ちょくしゃ》日光があたる路面《ろめん》は、てり返しの熱《ねつ》が高くなってきて部員《ぶいん》たちを苦しめる。

重いホイールのマシンで走る坂道は、ペースが上がらない。昼前《ひるまえ》まで走って、ようやく二百五十キロ。そこで、インターバルに入った。

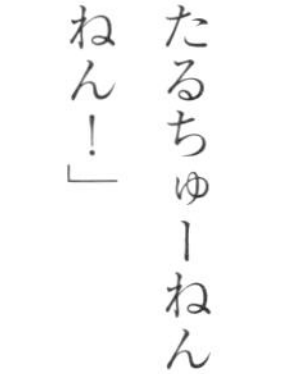

日よけの下に入ると少し風がふいてくる。坂道はハアハアとあらい息《いき》を整えながら、午前中の走りを思い返していた。巻島先輩《まきしませんぱい》が言ったとおり、ギアを落として走れば、おそいけど確実《かくじつ》に周回《しゅうかい》がふえることがわかった。

一歩前進《いっぽぜんしん》だ。


先にインターバルに入っていた杉元《すぎもと》が声をかけてきた。

「やあ、インターバルかい？　小野田くん、ドリンク切れたかい？」

マシンのドリンクホルダーには、ボトルを差《さ》しこんであるけれど空《から》っぽになっている。

「この暑さじゃ、走りながらのまないと、ね。これ、補食《ほしょく》用のゼリーさ。走りながらでものんでエネルギーを取れるから、長距離《ちょうきょり》を走るとき、ボクはいつも使っているんだ。これも持っておくといいよ」と、杉元はアルミの小さなパックを二つ、坂道にわたしてくれた。周回数でリードしているのか、きげんがいい。

「あ、ありがとう。さすがだね」

杉元《すぎもと》は「ボクは経験者《けいけんしゃ》だから」と言うだけあって、いろいろなことを知っている。そして、のみ物おき場に坂道の分のドリンクを取りにいってくれた。

ところがゆらゆら、よちよちとしか歩けない。

「筋肉痛《きんにくつう》？　実はボクもせなかと足が昨日《きのう》からいたくて」と坂道が言うと、杉元は弱みを見せまいとしたが、「あ!!!　そうなの、やっぱり!?　うん、しかたない!!!」と坂道もつらそうにしていることを知って、安心したように言った。

そんな一年生の様子を、同じくインターバル中の田所《たどころ》が見ていた。
「インターバルを取ったのは、小野田と杉元がこれで二回目。二年の青八木《あおやぎ》と手嶋《てしま》が一回。それなのに、今泉《いまいずみ》と鳴子《なるこ》はこの暑さの中、休みなしでまだ走ってんのか……」

はっ　はっ　はっ　はっ　はっ　はっ　はっ
はっ　はっ　はっ　はっ　はっ　はっ　はっ

そのころ、鳴子と今泉はうらの上り坂をこいでいるところだった。
鳴子が先行《せんこう》し、十メートルほどうしろを今泉がついていく。

二人とも、息《いき》があらい。強い日差《ひざ》しをせなかにあび、顔からあせがハンドルの上にぼたぼたと落ちていく。

鳴子は、ジャージのポケットからゼリーを取り出してのみながらこいでいる。

夏まではまだまだ日があるのに気の早いセミが一ぴき、

ジ――っと鳴いた。

その音が聞こえた瞬間《しゅんかん》、「セミか」と二人は同時につぶやいた。

「ぬあ!!　こら、マネすんな!!!」と鳴子《なるこ》がさけべば、「おまえだろ、マネたのは」と今泉《いまいずみ》が言い返す。

「ワイは風流《ふうりゅう》にやな、もう夏も近いなー思て、セミさん、こんちはーー言うたんや」と鳴子が言えば、「おいおい、セミに話しかけたのか？　暑さで幻覚《げんかく》でも見えているんじゃないか？　だったら、限界《げんかい》が近いぞ。おまえは相当《そうとう》バテてるな。そろそろインターバルを取れ。オレより先に」と今泉。

言い合いをしていると気がまぎれるのか、二人は負《ま》けん気《き》をぶつけあいながらこぐ。

しばらく走り、坂の上にさしかかったとき、今泉がドリンクホルダーのボトルをつかみそこねて、ボトルを落としてしまった。コロコロところがるボトルをひろおうと、今泉はマシンを止めておりた。
ところがその瞬間《しゅんかん》、カクッとひざがおれて動けなくなってしまったのだ。
む？　今泉はとっさに右手でフェンスをつかんで、やっと体をささえた。

いつの間にかセミは鳴きやみ、車輪《しゃりん》が回る音も聞こえなくなった。

「ほらよ」

それに気がついた鳴子がマシンからおり、ボトルをひろいにいって、今泉に手わたした。その目が心配そうに今泉をのぞきこむ。

「いらねェ……。先に行け」

今泉はつっけんどんに言った。

「なに言うてんねん、アホが。そこはありがとうやろが」

鳴子はあきれて言った。

「意地をはるのもたいがいにせいや。ワイらは運命《うんめい》が同じや。得《とく》意分野《いぶんや》をしばられて、常識《じょうしき》やぶりの千キロ走破《そうは》。三年に勝つ、とか言っとる場合やない!!

とにかく、このマシンで千キロをのりきることのほうが先なんや!!!」

今泉《いまいずみ》はすぐに言葉を返せなかったが、しばらくして、ようやく息が整ったとき、出てきた言葉はなんと、「オレは、おまえには負けない」だった。

これには鳴子《なるこ》がおどろいた。

「な……なにを言うてんねん。ワイはおまえのことを心配して……」

鳴子の言葉をさえぎるように今泉はしゃべりだした。

「千キロがどうした……しかけがどうした。暑さのせいで弱気《よわき》になったか、鳴子。

ギアが足りないならケイデンスとダンシングでカバーすればいい。

距離《きょり》が足りないなら、朝でも夜でも走ればいい。

オレは負けない。おまえにも、二年の先輩《せんぱい》にも、主将《しゅしょう》にも、残《のこ》り二日と半分で……」

そこまで言うと、今泉はフェンスをガシャリとつかんで立ち上がった。

「全員《ぜんいん》、かならずぬいてみせる!!」

あまりの大声に、鳴子はけおされた。

「ク……カッカッカッカッカッカッカッ。たしかにな。そーやな。暑さでまいっとったのはワイのほうやったみたいやな」

そう言うやいなや、手に持っていたボトルをうしろへ投げすてた。

ボトルはコロコロと坂をころがっていった。

「おい、スカシヤロー、自分でひろえ。つまらんなさけをかけて、そんするとこやったわ」

「フン、それでいいのさ」と鳴子と今泉は、ふたたびにらみあった。

鳴子が気合《きあ》いを入れた。

「よぉおしゃ、距離《きょり》かせいでオッサンに追いつくで。休けいはまだまだ先や！」

「言われなくても！」

二人はまた走り出した。

鳴子《なるこ》の覚悟《かくご》

その夜、今泉《いまいずみ》と鳴子と坂道の三人は夕食のあとも走っていた。

まっくらな中、今泉と鳴子のあとを必死《ひっし》で追う坂道。

「日差《ひざ》しがない分、夜のほうが走りやすいな」と今泉。

「きたで。だいぶ、周回《しゅうかい》かせいだで」と鳴子。

「今泉くんと鳴子くんについて走ると、なんかふしぎなんだ。ついていこうと力がわいてくるんだ。ありがとう！」と坂道。

その様子を金城《きんじょう》がまどから見ていた。

今泉四百四十キロ、鳴子四百四十キロ、小野田三百九十キロ。

ここまでめいっぱい走って、合宿二日目の練習が終わった。

その夜――一年生三人にとって合宿のひそかな楽しみはふろだ。

湯船《ゆぶね》にボチャーンとつかりながら、

「ぐはーーーーーーーーー生きかえるぅーーーーーーーー!!!」

鳴子はいつもにぎやかだ。

いきおいがよすぎて、ザバザバと音を立てて湯船《ゆぶね》からお湯があふれ出た。先に湯船につかっていた坂道の体は、その大波でゆらゆらした。

「激走《げきそう》したあとのふろは五臓六腑《ごぞうろっぷ》にしみる!!! しみるでーーーーマジで。カッカッカッ」

鳴子はわらいながら、ねむりに落ちて、顔を水につけていた。それでもねている。体をあらっていた今泉はそれに気がついたが、助けもしない。

「ぶはーーーーっ、死ぬ、死ぬーーーーーーっ。はーーー、はーーー、あぶなかったーーー。気をゆるめると落ちてしまうわ。ふろ場で死んだらかっこ悪いからなーってか、スカシ泉! おまえ、見とったんなら助けろや!!」

「そのまま逝《い》けばよかったのに」

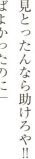

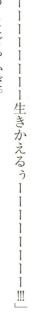

「んじゃと、ゴルァ!!」

「こっちも限界《げんかい》まで走ってるんだ、助ける力なんて残ってねーよ」と今泉《いまいずみ》はつぶやいた。

「あれ？」

鳴子《なるこ》がまた、さわぎ始めた。

「小野田くんは？　おらんようになってしもた。もうあがったんか？」

今泉も心配になって湯船《ゆぶね》の中を見ると、坂道はうつぶせでしずんでいた。ねむったままだ。

「どっちかって言うと……しずんでいるな」

二人は顔を見合わせた。

「こら、アホ、小野田くん!!　起きて、起きて」

鳴子がお湯の中から坂道の体をザバザバと引き上げた。

「ん……、ああ、ごべんごべん、ねてた。ごぶっ、ごぶっ、あれ、ボク、水のんでる？」

わけがわからずキョトンとしている坂道に、今泉が冷静《れいせい》な言葉をかけた。

「ああ、ふろの水をな、たっぷりな」

フラフラしている坂道は鳴子にかたをかしてもらい、ようやくふろを出た。

「ったく、死ぬかと思ったで。まだ二日目や。合宿はまだ半分あるで。だいじょうぶか」

坂道はぼんやりした頭で答えた。

「ごめん……うん　なんとかがんばるよ」

坂道たちがロビーを通りすぎようとすると、金城《きんじょう》がだれかと電話で話していた。

電話が終わると「『サイクルタイム』と朝田新聞が取材をしたいらしい」と言った。

「『サイクルタイム』って、前に鳴子くんにかしてもらった自転車雑誌《ざっし》!?　すごいね！」

坂道はこうふんした。

鳴子は「そやな、毎月出とる、あの雑誌やな」と言った。

金城《きんじょう》が説明《せつめい》した。

「インターハイ特集《とくしゅう》だ。うちは千葉県《ちばけん》代表だからな。全国の出場校《しゅつじょうこう》が取材をうけるが、うちはそのうちの一校にすぎん。小さい記事《きじ》さ。ただ、一校から一人個性的《こせいてき》な選手《せんしゅ》を取り上げたいと言われた。鳴子、おまえ、取材をうけてみるか？　写真ものるぞ。おまえは目立つの、好きだろ」

そう言われた鳴子《なるこ》は「いや、いいっスわ」と、まるで関心《かんしん》がなさそうに言った。

「今は、田所《たどころ》のオッサンをぬいて、千キロを走り切る。そいつに全精力《ぜんせいりょく》を使うとる。よけいなことを考えてたら、ふり落とされる。そういう合宿なんでしょ、これは」

坂道はおどろいた。

目立ちたがりの鳴子のことだから「やったー！」と小おどりして引きうけるもんだと思ったからだ。だって、雑誌《ざっし》や新聞にのるなんて、うれしいことではないか。

でも、今の鳴子はそれよりもだいじにすることがあると言う。

「……そうだ」

鳴子の回答《かいとう》を聞いて、金城のサングラスのおくが満足《まんぞく》げに光った。

「さあて、今日も爆睡《ばくすい》するかー」と鳴子が言うと、「おいおい、ねむるのに気合《きあ》いを入れるな」と、今泉《いまいずみ》がたしなめた。

「アホか、なんでも気合いと根性《こんじょう》やで」と鳴子が力こぶを出した。

「そうだ。それでいい。今は強くなることだけを考えろ。練習しろ。目立つのはインターハイで、だ!!!」と三人のせなかに向かって、金城はつぶやいた。

インターハイ覇者《はしゃ》、箱根《はこね》学園

『毎月十五日発売《はつばい》　サイクルタイム』とドアに書かれた車がブロロロと坂を登っていく。やがて箱根《はこね》学園と書かれた校門の中に入っていった。

そのとき、箱根学園自転車部の屋内《おくない》練習場では、二人の男がローラーを回していた。一人は短髪《たんぱつ》で筋肉質《きんにくしつ》の体の男で、もう一人は細い目のやせた男だ。

そこへ、一年生がやってきた。

「福富主将《ふくとみしゅしょう》!!　『サイクルタイム』の方がきました。応接室《おうせつしつ》で待っていただいてます」

主将とよばれた筋肉質《きんにくしつ》の男は足を休めずに聞いていた。代わりに、やせた男が「おいおい、また取材かよ。先週《せんしゅう》は『スポーツ自転車』、その前は『月刊《げっかん》サイクル人』。めんどうだからまとめてやれって言えばいいんじゃなァい?」と答えた。

「おい、荒北《あらきた》。つべこべ言うな、行くぞ」

応接室では、すでに監督《かんとく》が記者《きしゃ》に向かってしゃべっていた。

「つねに実戦《じっせん》を念頭《ねんとう》において練習を組み立てます。市民レースにも積《せっ》極的《きょくてき》に参加《さんか》させて…」

バシャ、バシャとフラッシュがたかれた。

取材が終わると、福富と荒北は屋内《おくない》練習場にもどろうとわたりろうかを歩いていた。

「ふうーーったく、監督も毎回同じことを言って、よくあきないなあ」

「メディアに出て注目をあびるのも王者の仕事のうちだ」

そこへ一台の白いロードレーサーがやってきた。

それを見た荒北が皮肉《ひにく》を言った。

「記者に言えばよかったな。『うちには一人、問題児《もんだいじ》がいます』って。遅刻魔《ちこくま》の一年生、真波山岳《まなみさんがく》！」

真波山岳《まなみさんがく》がなにくわぬ顔で近づいてきた。

「あれっ、どうしたの、福富《ふくとみ》さん、荒北《あらきた》さん、お二人そろって」

「遅刻だ、真波。取材だったんだよ。全員集合だと昨日《きのう》、言っただろ！」

福富が強く言った。

「ごめん、先輩《せんぱい》。そういうの興味《きょうみ》ない」とくったくなくわらう真波。

「そもそも来る気がなかったみたいだな」と二人はあきれた。

「おまえが興味《きょうみ》ありそうなことを記者が言ってたぞ。『サイクルスポーツパーク』で千葉県《ちばけん》代表が合宿をはってるってよ」

立ち去ろうとしていた真波は立ち止まってふり返った。荒北は言った。

「総北《そうほく》の三年におもしろい登りをするヤツがいる。行ってこいよ、ていさつに」

「登りーーーーー!!!」

真波は登りと聞くと、ワクワクするのだった。

第三章
一年生vsチーム二人

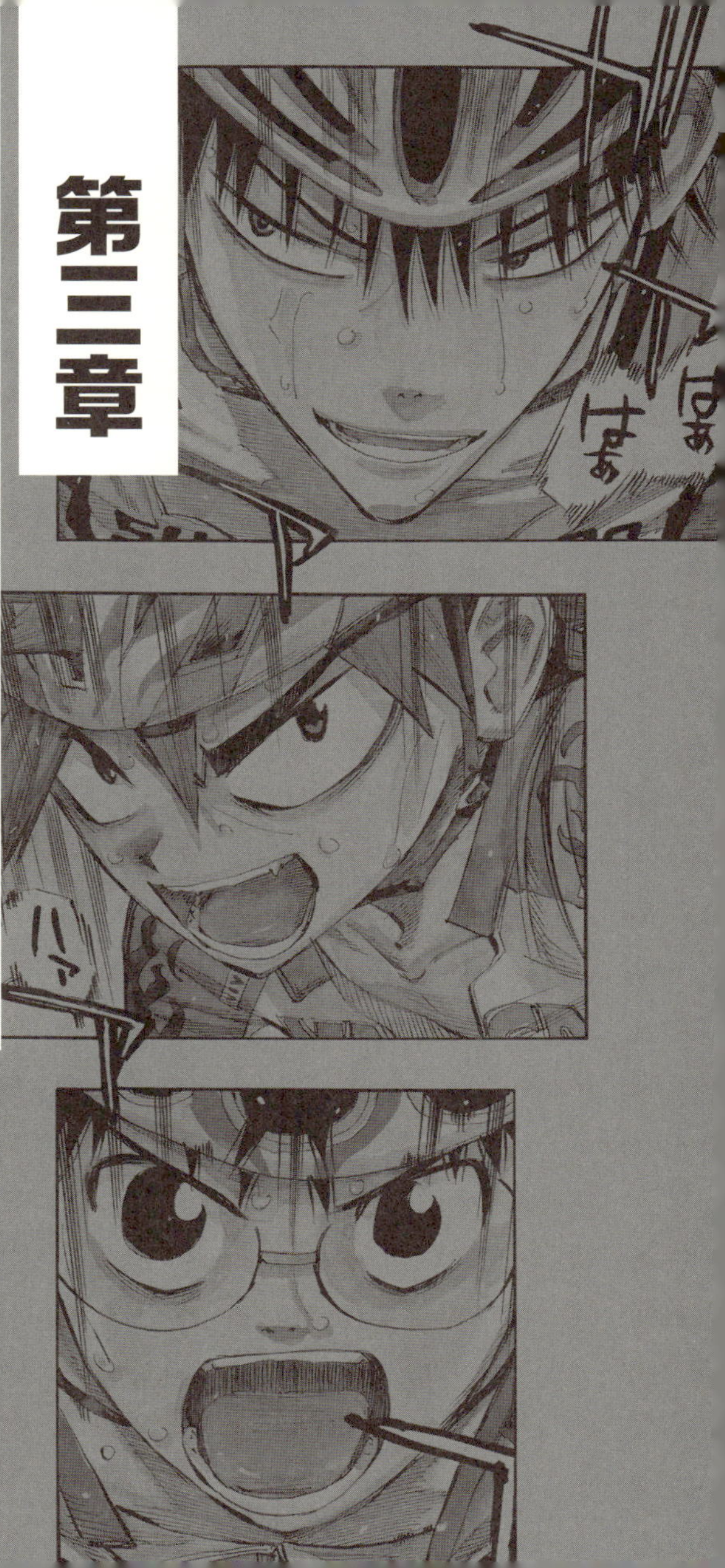

三日目

二日目を終えて、三人の走行距離《そうこうきょり》。

今泉《いまいずみ》　88周《しゅう》（440キロ）　残《のこ》り560キロ
鳴子《なるこ》　88周（440キロ）　残り560キロ
小野田　78周（390キロ）　残り610キロ

合宿はあと残り二日。

坂道の走行距離は、やっとの思いで三百九十キロだ。だれよりもおくれている。初心者《しょしんしゃ》だからしかたがないとはいえ……。

残り六百十キロ。これを走り切るためには、どうしたらいいんだろうと坂道は考えた。

ブルーブルーブルーブルー……。

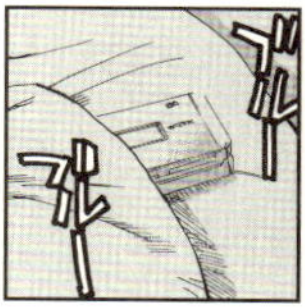

まだ、だれも起きていない早朝《そうちょう》、坂道のケータイ電話の目ざましがふるえた。スイッチをオフにすると、こっそりふとんからぬけ出して、そおっとろうかに出た。

つかれているみんなを起こしちゃいけない。ボクはおそい分、みんなより長い時間を走らないと追いつかない。だから、今から走るんだ。

クツをはき、宿舎《しゅくしゃ》のうらにあるサーキットにおりた。さすがにだれもいない。東の空が少しずつ明るくなり、坂道の愛車《あいしゃ》に日の光が当たる。坂道はねむい目をこすりながら、サドルに手をおいた。

残り二日間で六百十キロ、ムリ……かな、できる……かな。いや、ダメだ。考えちゃダメだ。考える前にやろう……。ダメかもしれないけど、やらなければ、なにも始まらない。やらなければ、可能性《かのうせい》はゼロだ。

坂道はヘルメットをかぶりながら、巻島《まきしま》と鳴子《なるこ》が言ったことを思い返していた。

「自分の走りを証明《しょうめい》するために、高校一年のときは朝も夜も走った」と巻島先輩《せんぱい》は言っていた。目立《めだ》ちたがり屋《や》の鳴子くんも「千キロを走ることに集中しているから」と取材《しゅざい》をことわった。

二人とも真剣《しんけん》に自転車競技《きょうぎ》に向き合っている。ほかのすべてのことよりがんばっている。

じゃあ、ボクは……。

ボクも自分ができるかどうかためしたくて、自転車競技部に入ったんだ。

だから、今、できるせいいっぱいのことをやらなきゃ！

そう心に決めると、ググっと闘志《とうし》がわいてきた。

「よし、三日目、スタートだ！

みんなよりたくさんの時間を走るしかない‼」

朝もやの中、坂道はペダルをふみ始めた。すっかり見なれたけしきが左右に広がる。朝つゆでぬれた木々がキラキラ光り、鳥のさえずりがあちらこちらから聞こえる。

あれ？　昨日《きのう》より……なんだか楽だ。重いホイールになれてきたのかな。
少しずつ体がなれてきたのか、ペースが上がっていることを坂道は実感《じっかん》した。
目の前に長い上り坂が見えてきた。よし、一枚《まい》、ギアを重くしてみようか。

変速《へんそく》だ！
グワッ！
右手のレバーを内側《うちがわ》におしこむと、ペダルは重くなったけど、スピードは上がった。
いける……！

登れる……!!

なれてきている!!!

ちょっと希望《きぼう》が出てきた。それになんとなくだけど、昨日《きのう》より坂が楽しくなってきた！

坂を登るときにわらう、坂道の笑顔《えがお》がもどってきた。

そのときだった。

ん？　だれか、いる？

ふたたび山岳《さんがく》と

坂道は、ちょっと前に走っている人がいることに気がついた。

こんな朝早く、だれが走ってるんだろう。だれだろう。

よし、追いかけてみよう。


ペースを上げ、コーナーを二つ曲がると、見たことのある走り方と自転車が見えた！


「待ってーーーー!!!」

自転車に乗っている人がふり返った。

「やあ、キミはあのときの！」


その笑顔に坂道はおどろいた。あの山岳だ。

「え!? ま……真波《まなみ》くん!!!」

車よいで苦しんでいるときに、水とうをくれた、あの真波山岳《さんがく》ではないか。

「真波くん!? え、本物? な、なんでここにいるの?」

坂道はペダルをぐるぐる回し、やっと山岳の横にならんだ。

すると、山岳がうれしそうに坂道に話しかけてきた。

「キミって総北《そうほく》高校だったんだね。しかも自転車部!

ああ、やっと出会えた自転車部員《ぶいん》第一号がキミかーーーー」

「え、そうだけど。なんでボクのこと、知ってるの? 第一号ってどういうこと?」

「うん、ていさつに来たんだ」

「え――ッ、て、ていさつ――!?」

「強豪《きょうごう》の総北高校が合宿をやっているから見てきたらと言われたの。でも、見るだけじゃつまんないでしょ。せっかく、ここに来るなら走ろうと思って、走ってたんだ」

坂道は言っていることがよくわからず、まばたきもせずに目をまるくしていた。

「あははは、アンタ何者《なにもの》？　って顔をしているね。この間さ、会ったときにオレの学校は箱根《はこね》学園だって言ってたでしょ。これでも一応《いちおう》……」

山岳は自転車に乗ったまま、片手《かたて》で白いシャツの前ボタンをはずしながら言った。

白いシャツの下には胸《むね》に「箱根学園」の文字が入った白いサイクルジャージが見えた。


「オレ、自転車部なんだ、去年のインターハイ覇者《はしゃ》、ハコガク（箱根学園）の！」

インターハイ覇者!!!

覇者って……優勝《ゆうしょう》したってことだよね……。

坂道はめんくらった。

「あははは。とは言ってもオレ一年だから、去年のことはなんにも知らないんだけどね」

坂道が「そうなんだ、ボ、ボクも同じ学年だ」と言うと、山岳《さんがく》が「それはいいねーー、ぐうぜんだね！」とうれしそうだ。

山岳が坂道に聞いた。

「じゃあさ、出る？　今年のインターハイに！」

「いや、それはたぶん、むり」

坂道はとっさにそう答えた。うちの部はほかにすごい人がいるからね、と坂道は今泉《いまいずみ》や鳴子《なるこ》を思いうかべた。

「なんだ、出ないのぉー⁉　つまんないなあ。だってさー、キミ、こないだ会ったときに坂が好きだって言ったでしょ。オレも坂が好きだから、インターハイでいっしょに走れたら楽しいかなって思ったんだけど」

そう言いながら、坂道の顔をのぞきこんできた。その笑顔《えがお》が、心の底から坂道といっしょに走りたいと思っているようで坂道はてれてしまった。

すると、てれかくしになにか言おうとあせった坂道の口から、思わぬ言葉が出た。

「じゃあさあ。せっかくだからさ、あの坂の上まで競走《きょうそう》しようか！」

「いいね！　いこっ、いこっ。楽しいね!!　楽しい企画《きかく》だ！」

山岳はにこにこしながら言った。

そのとき坂道は、山岳から水とうを借りたままだったことを思い出した。

「あれ、返さなきゃ。ありがとう、とっても助かったよ」

「あーー、いいよ。あげたやつだし。あれはもうキミのもんだよ。じゃ、この競走で勝ったら返して？」

坂道はコクっとうなずいた。

クリートじゃない!?

二人はペダルに足をおき、さあ、こぎ出そう、というときに山岳が聞いてきた。

「そうだ、まだキミの名前を聞いていなかった。聞いてもいい？」

「ボクは小野田……小野田坂道」

坂道！

山岳《さんがく》はびっくりした。

なんて、運命的《うんめいてき》なんだろう。山岳と坂道が出会う、なんて。

小野田坂道、小野田……坂道。

山岳は何度も口の中で坂道の名前をくり返していた。

オレが真波《まなみ》山岳で、キミが小野田坂道。

「最《さい》ッ高《こう》ーーーの名前じゃん!!」

そうさけぶと、ヨーイドンも言わないうちに山岳が飛《と》び出した。

ギュアワワアワワワワワー

速《はや》い!! 真波くん!!!

山岳のすごい速さに、一瞬《いっしゅん》たじろいだ坂道だったが、おいていかれるものかと、ぐんッと加速《かそく》した。

ぎゅるぎゅるぎゅる ぎゅるぎゅるぎゅる

ペダルを回す。

真波くん!!! 真波くん!!! 真波くん!!!

坂道が追いついて、二人の車体がならんだ。

「おっ、来たね、坂道くん!!」

「真波くん!!」

初めていっしょに走るのに、二人の心はまるで一つにつながっているようだ。

楽しい。

ふめば前へぐんと進むから、もっともっとスピードを上げたくなる。

ああ、風のように、まい上がっていけそうだ！

カーブでは山岳《さんがく》が速《はや》い。坂道はちょっとおいていかれるけど、直線《ちょくせん》になるとハイケイデンスで追いつく。

いい勝負《しょうぶ》だ。

ハアハアハアハア……

とちゅう、坂道の息《いき》づかいが聞こえなくなり、心配した山岳がうしろをふり返った。

だいじょうぶだ、ちゃんとついてきてる！　坂道くん!!

それにしても、ホイールが重そうだ。立ち上がりがおそいのは、そのせいかもしれない。
でも、まっすぐな坂になると、すぐに追いついてくるのはすごい。
もっとすごいのは回転数《ケイデンス》！

速度《そくど》のコントロールのほとんどを回転数でやっていると
言ってもいいくらいだ。
よく回ってる、自由自在《じざい》に。
まるで、ペダルと足が一体化《いったいか》しているみたいな走りだ！

おもしろい！
「いましたよ、おもしろい登りをする
ヤツが」って先輩《せんぱい》にほうこくしなきゃ。

そして、山岳はもう一つ、おもしろいところを見つけた。
それは、坂道が登るときに自分と同じようにわらうところだ。

ゴオオオォォォ。
空気がうなる。
山頂《さんちょう》まではあと百五十メートルだ。ここを何度も走っている山岳《さんがく》にはカンでわかる。
二台のマシンが、風のように坂をかけあがる。
そのとき、前にいる山岳に向かって、うしろから坂道がさけんだ。
「このレース、ボクが勝ったら、ボトルを返すよ！」

それを聞いた山岳の表情《ひょうじょう》が引きしまった。
「ボクが勝つ？」って、坂道くんは今、そう言ったの？
オレに勝つつもりなんだ！
坂道くん、いいね、そのポジティブなところ。山岳はうれしくなった。
わらっていると、すべてが楽しくなるから、考えることも前向きになるんだ‼
「いいよ、返さなくて。あげたんだって、あれは‼」

坂道はラストスパートをかけた。鳴子《なるこ》じこみのダンシングだ。
しりをサドルからうかせて、ペダルの上に立った。

二台のマシンがならんだ。

うは！　ダンシングも高回転なのか！
山岳は、自分もスパートをかけようとした。

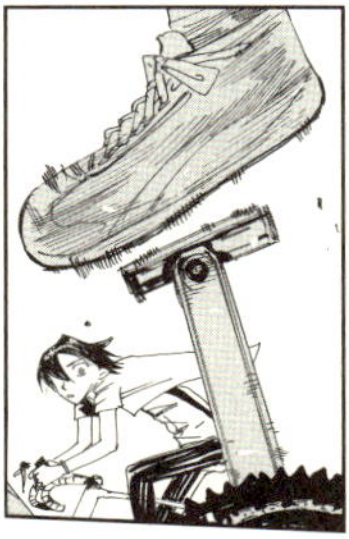

と、そのとき坂道の足元《あしもと》が目に入った。
ええ！　キミのシューズは競技用《きょうぎよう》じゃないのか。
まあいい、ここは勝負《しょうぶ》だ！　山岳はトップパワーを出すために下ハンドルににぎりかえた。

ギュワァァァァァァァ～

ダアアアアアアアアア〜

一瞬《いっしゅん》だった。

山岳《さんがく》は音だけを残《のこ》して、空にすいこまれるように坂の上に消えた。よゆうで坂道をぶっちぎり、あっさり頂上《ちょうじょう》を通過《つうか》したのだ。

はぁ、はぁ、はぁ、はぁ、

真波《まなみ》くんて、やっぱりすごい人だ。

少しおくれて、坂道が頂上に着くと、山岳がさくにこしかけて待っていた。

「やっぱりすごいね、真波くん。全然《ぜんぜん》追いつけなかったよ。やっぱりボトルは返せないね」

坂道は負けて当然《とうぜん》と、すがすがしい表情《ひょうじょう》だ。

ところが山岳はあまりうれしくなさそうだ。

初心者の坂道に勝つのはあたり前だと思ったからか？

いや、ちがうみたいだ。なんだか、なっとくのいかない顔をしている。

山岳の目線《めせん》は、坂道の足元《あしもと》に向いていた。

気づかなかったな、坂道くん。キミはふつうのスニーカーをはいているんだ。選手はクリート※と言う金具《かなぐ》がついている自転車競技用《きょうぎよう》のシューズをはく。ペダルとシューズを固定《こてい》できるので、通常《つうじょう》の倍《ばい》近い力をペダルにつたえることができる。

キミはそのクリートなしで、いや、それだけでなく、この重い車体で、オレに追いついてきたのか……。

こんなにハンデがある坂道との競争《きょうそう》に勝ったって、そんなのちっともうれしくないと山岳は思った。

この坂道くん、きっと自転車を始めて、まだ日があさいんだろう。だから、知らないこともたくさんあるはずだ。この先、いろんなことを経験《けいけん》して吸収《きゅうしゅう》していったら、どうなるんだろう。

※クリート…くわしくは190ページに。

もしかしたら、すごい力をもっているのではないか、と山岳《さんがく》は思った。

そんな山岳の気持ちをよそに、坂道はうれしそうに山岳のマシンを「白くてピカピカでかっこいいいねえ」と見つめている。

どれくらい時間がたっただろうか、山岳は自転車にまたがりながら言った。

「さあて、オレ、もう帰るわ。遅刻《ちこく》したら、また委員長《いいんちょう》におこられるから」

そして、なにを思ったのか、「やっぱさ、ボトル、返して」と坂道に言った。

「今年の夏、インターハイで待ってるから！」

とふり向きざまに言い、口を真一文字《まいちもんじ》にむすび、強いまなざしを坂道に向けた。

ええ！　坂道は自分の耳をうたがった。
「インターハイで待ってるから」と自分に言ってくれる人がいるなんて。
「約束《やくそく》だよー、じゃあッ」
そう言うと、白いマシンは坂を下って消えていった。
一人残《のこ》された坂道は「約束」という、この二文字をかみしめていた。
空には白い雲がうかんでいた。

インターハイの約束《やくそく》

坂道は山岳とわかれたあとも、そのままランをつづけた。
インターハイ……。なんでこの言葉が気になるんだろう。

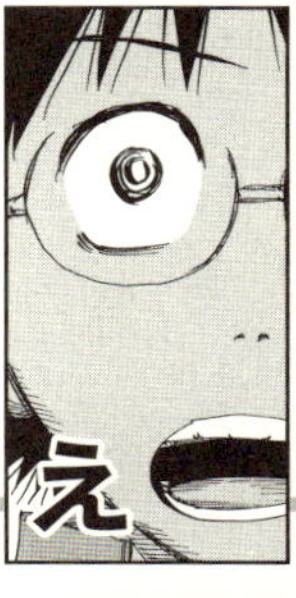

たしかにウエルカムレースのとき、金城《きんじょう》がこのレースの結果《けっか》でインターハイを目指《めざ》すチームか、それ以外《いがい》のチームかが決まる、と言った。今泉《いまいずみ》くんも鳴子《なるこ》くんもインターハイで勝つことが部の目標《もくひょう》だから、そのために強くなろうとしているんだ……。

正直、初心者のボクには遠い世界だと思ってた、今までは。

でも、もし出られるのなら、出てみたい！　真波《まなみ》くんと「約束《やくそく》」したし！

そんなことを考えていると、うしろからにぎやかな声が近づいてきた。

「だーーーーから、なんでついてくんねん!!　せっかく早起きして周回《しゅうかい》をかせごうというワイのアイデアをマネせんといてや!!　マジで」

この声の主は、もちろん鳴子だ。となりの今泉と言いあらそっている。

「それはこっちのセリフだ。オレの目ざましのほうが十秒《びょう》早かったろう。おまえがマネたんだ」と今泉が言えば、「いや、ワイのが早く鳴ったやろ」と鳴子。

「ちがうな……、オレのケータイは十秒、時間を進めてある」と今泉。

「なんのために!?　セコ!!　セコいな、いろいろ」と鳴子が言えば、

「ていうか、早起きなら小野田のほうが先だろ」と今泉が返す。

「論点《ろんてん》ズレとる。あ、話をすれば、小野田くんや」

二人は前を行く坂道に気がついて、声をかけた。

「カッカッカ、かなり早起きしたみたいやな」

「周回数、けっこう、ばんかいしてたな。最終日《さいしゅうび》には杉元《すぎもと》にならぶんじゃないのか」

「ほな、がんばりや!」

さっと坂道を追いぬいて、先に行く二人のせなかに向かって、坂道が声をかけた。

「待って!!」

二人は「ん?」とふり返った。

「あの……インターハイってさ、どうやったら出られるのかな」

坂道は真顔《まがお》でたずねた。

「出る？　インターハイに？」

今泉《いまいずみ》が小さな声をもらした。坂道の発言におどろいているようだ。

二人はだまりこくった。

カッカッカッカッ
そのちんもくを鳴子《なるこ》がやぶった。

「小野田くん、おいおい、どないしたんや、やぶからぼうに。せやけどその目は、ジョーダンやなさそうやな」

鳴子は坂道にならぶと、走りながら坂道とかたを組んで言った。

「ざんねんながら、どーやってメンバーに入れるかはワイも知らんし、わからん。けど、あのグラサン部長《ぶちょう》が考えとる根っこの部分は、意外《いがい》とシンプルや。課題《かだい》を出してクリアさせる……その中にメッセージは十分に入っとる」

坂道は次《つぎ》の言葉を待った。

「つまり、この千キロを突破《とっぱ》できんやつにそれはない。目の前のかいだんを登れんやつに、先はないっちゅーことや!!」

「うん、わかった」

まさか、インターハイに出るつもりだなんて……、なにがあったんだろう。

「なにか、小野田をあおったのか?」と今泉が鳴子にさぐりを入れると、

「あおったんは、おまえちゃうんかい」と鳴子が言い返した。

「杉元《すぎもと》を追いぬくみたいな小さい目標《もくひょう》ちゃうんやな」と鳴子はおどろきをかくせない。

三人が、それぞれに思いをいだくインターハイこそが、この合宿の先にある、次《つぎ》の目標だ。

鳴子《なるこ》のたましいに火がついた。
出たるで、なにがなんでも出たる!!
目立って目立って、全国のやつをけちらして、
鳴子旋風《せんぷう》をまき起こしたる!!

今泉《いまいずみ》も同じだ。

絶対《ぜったい》に出る。オレはそこで、ライバル御堂筋《みどうすじ》に借りを返す！

「オモロイやないか」

鳴子が気合《きあ》いを入れてハンドルをにぎったのが合図《あいず》で、三人がいっせいに飛《と》び出した。

「ほな、千キロに向けて、ペダルを回すぞ、おおお!!」

ドシャアア！

どえええぇ！

地道《じみち》にペースを守って一人で走っていた杉元《すぎもと》のわきを、三人が通りすぎた。

「うわあ、鳴《なる》……小野田クン⁉」

杉元は自分の目をうたがった。

「あれ？　小野田⁉　あれ？　あんな速《はや》いペースで走れてたっけ⁉」

一瞬《いっしゅん》、小野田にぬかれたかと思った杉元だが、そこは自信家《じしんか》、すぐに気を取り直した。

「だいじょうぶ、これは周回《しゅうかい》レース‼　じゃなかった。周回練習。小野田とはまだ、だいぶ差《さ》がついてたはずで、まだボクがリードしている。たった一周、追いつかれただけ。よし、マイペースで行こう！　負けるはずないさ、ボクは経験者《けいけんしゃ》だからね‼」

目をさました坂道

金城《きんじょう》が掲示板《けいじばん》のところにいた。

「三日目からは、各自《かくじ》が走りなれてくるころだ。表示《ひょうじ》を変える」

今まで学年順《じゅん》にならんでいた順番を、周回順に変えた。

		周回《しゅうかい》	距離《きょり》	残《のこ》り
1	田所《たどころ》	140	（700キロ）	300キロ
2	金城《きんじょう》	138	（690キロ）	310キロ
3	巻島《まきしま》	135	（675キロ）	325キロ
4	手嶋《てしま》	126	（630キロ）	370キロ
5	青八木《あおやぎ》	125	（625キロ）	375キロ
6	今泉《いまいずみ》	116	（580キロ）	420キロ
6	鳴子《なるこ》	116	（580キロ）	420キロ
8	杉元《すぎもと》	108	（540キロ）	460キロ
9	小野田	102	（510キロ）	490キロ

「おのれの現状《げんじょう》を知れ。作戦を組め。そして血肉《ちにく》の一滴《いってき》までしぼって、目の前のてきをぬけ!!」

掲示板《けいじばん》が金城からのメッセージだ。

表示《ひょうじ》が変わった電光掲示板の前を、一年生の三人が通った。

ボクは最下位《さいかい》……。坂道は掲示板の一番下にある自分の名前を見て、くやしさをにじませた。歯をくいしばり今までの坂道にはない、しんけんな表情《ひょうじょう》になっていた。

坂道は変わった。今までの坂道ではなかった。
それは山岳《さんがく》に出会って、坂を登る楽しさを知ったからか？
そして、今泉と鳴子といっしょにインターハイに出たいと思ったからか？
それとも、山岳とインターハイに出ようと「約束《やくそく》」したからか？

掲示板の表示が変わったことに気づいた鳴子が「オモロイことしてくれるやんけ、グラサン部長《ぶちょう》!!　周回順《しゅうかいじゅん》？　まるでレースやな」と言うと、今泉が「まるでレース？　まるでじゃないだろ、これは。あの人はオレたちを戦わせる気なんだよ」とクールに言い返した。

そして、「もちっとペースを上げるか。ハンドルポジションが変えられへんから手がしびれてきとるけど、だいぶこいつにもなれて乗り方がわかってきた！」と鳴子《なるこ》が言うと、

「シフターがない分、ギアがほしいポイントが二、三あるが、オレも道のクセとコース全体のリズムが体にしみついてきた」と今泉《いまいずみ》。二人ともハンディキャップがだんだんとハンデではなくなり、気持ちにもよゆうが出てきたようだ。


「小野田くん、ワイらペースを上げるで。むりせんでええから自分のペースで……え？」

と鳴子がふり向きざまに言うと、うつむいたまま、全身の力をふりしぼるように坂道が二人についてきた。

せなかから湯気《ゆげ》があがっている。

ついていく、絶対《ぜったい》についていく。

坂道の全身にはやる気がみなぎっていた。

それを見た鳴子は、「そか……来るか。来るんやな」とうれしそうに言った。

坂道は自分に言った。

ボクにできることはそんなにない。

目の前のかいだんを登るためにできることは、せいいっぱい、ペダルを回すことだ。

巻島《まきしま》さんも「カベは突破《とっぱ》するしかないっショ」と言っていた。だから回すんだ!!!

インターハイのキップをかけての部内抗争《ぶないこうそう》

		周回《しゅうかい》	距離《きょり》	残《のこ》り
4	手嶋《てしま》	136	（680キロ）	320キロ
5	青八木《あおやぎ》	135	（675キロ）	325キロ
6	今泉《いまいずみ》	132	（660キロ）	340キロ
6	鳴子《なるこ》	132	（660キロ）	340キロ

掲示板《けいじばん》の表示《ひょうじ》はどんどん変わる。

「パーマ先輩《せんぱい》」のあだ名でよばれている手嶋《てしま》と、「無口《むくち》先輩」のあだ名でよばれている青《あお》八木《やぎ》の二人の二年生が、掲示板の前を通過《つうか》した。

　パーマ先輩こと手嶋が言った。
「おおお、一年のヤツら、相当《そうとう》、ペースを上げてきたな。まさか、オレたちをぬく気か？　ハハハ、そうかんたんにいくかっつーーの。
オレたちは去年のインターハイに出られなかったんだ。どんだけ、つらかったか、くやしかったか。だから、この合宿のために、丸《まる》一年、練習を積《つ》んできたんだ。入ってきたばかりのおまえらに、負けるわけがない」
それを聞いて、無口先輩こと青八木が強くうなずいた。

練習にうらづけされた自信はゆるぎない。昼間《ひるま》、今泉《いまいずみ》と鳴子《なるこ》が、「お先に失礼《しつれい》しまーす」

と手嶋と青八木をぬいていった。だが、二人は平然《へいぜん》としている。

二年生をおきざりにしながら、今泉は言った。

「オレたちがペースを上げたから、青八木先輩まであと二周《しゅう》回《かい》、十キロのところまで追いついてきた。だけど先輩《せんぱい》たちはペースをくずさないのはなんでだろう？

まあ、どうでもいい。このペースなら、夕方には追いつけるだろう。オレの目標《もくひょう》は全員ぬいてのゴール。まだ、三年生との勝《しょう》負《ぶ》も残ってるからな。その前に二年生がいるなら、ぬくだけだ！」

しばらくして、田所《たどころ》が掲示板の前を通過《つうか》した。
二年と一年の差《さ》がちぢまっているのを見て言った。
「ペースを上げてきているな一年生《あいつら》……三日目でようやく機材《きざい》になれてきたってとこか。少なくともこのペースでいけば、日がくれる前には一年と二年の順位《じゅんい》あらそいが起こる!!」

巻島《まきしま》と金城《きんじょう》もこのことには気がついていた。

「いきおいついてきたっショ、一年」

「しかけになれてきた……か」

「予想以上《よそういじょう》じゃなァいの、金城。一年と二年の対決《たいけつ》、四日目までかかると思ってたっショ」

金城はよけいなことはしゃべらないが、こう言った。

「手嶋《てしま》と青八木《あおやぎ》はこの一年、インターハイに出て、勝利《しょうり》するために、なにをすべきかを知り、考え、実行してきた。そして、最良《さいりょう》の形を手に入れている!! もし一年が、あの二年のことをあまく見ているようなら、一年は二年に百パーセント勝てない」

杉元《すぎもと》が自分を追いぬいていく二年生におどろいていた。

「うわっ、手嶋さんと青八木さん、タイヤが接近《せっきん》するくらいくっついてる」

前を走る手嶋の後輪《こうりん》と、うしろを走る青八木の前輪《ぜんりん》をくっつかんばかりに接近させ、空気抵抗《ていこう》をなくして、うしろのマシンが楽に走れるようにしているのだ。

杉元がおどろいたのは、それだけではない。

二台が接近したまま右の急カーブに入り、ななめに車体をかたむけながら、なんと手嶋は自分のボトルを青八木にわたしたのだ。

「ともに練習を積《つ》み、なやみ、進んできた。これがオレたちのかくとくした最良《さいりょう》の形……!!」

これは、相手の力を知り、クセを知り、百パーセントの信頼《しんらい》がないとできない技《わざ》だ。

この、どこまでも習熟《しゅうじゅく》したコンビネーションに、杉元はあっけにとられていた。

ガチの戦いが始まる

やがて、バトルのときがきた。

西に日がしずみ始めたころ、百四十八周目《しゅうめ》にして、今泉《いまいずみ》と鳴子《なるこ》の目に青八木《あおやぎ》のせなかが見えてきた。二年を一人ぬくチャンスがやってきた。青八木のすぐ前を行く手嶋《てしま》は一周リードの百四十九周回《しゅうかい》だ。

「さあ、来たで!!」

「これで追いつきゃ、二年にならぶ!!」

「二年があっさりぬかさせるか？　そんなこともないか……」と今泉は二年生の様子に、なにかありそうだ、と疑心暗鬼《ぎしんあんき》だが、鳴子は「あんまりしゃべらん無口《むくち》センパイはさっくりぬけそうだな」と楽観的《らっかんてき》だ。

二人のペースになんとかついていく坂道は、その様子を感動して見ていた。

「すごい……、すごいよ、二人とも。これだけの自転車のハンデがあるのに、おくれた周《しゅう》回《かい》を取りもどして、追いつこうとするなんて」

今泉を先頭《せんとう》に一年の三人が二年生に近づいていった。

夕日を背《せ》に受けて、マシンもヘルメットも黄金色にかがやいている。その距離《きょり》がどんどんちぢまり、あっという間に、まうしろにまで接近《せっきん》した。

「お待たせしましたァーーーッ!!」

ヘルメットから赤い髪《かみ》をはみ出させて、鳴子がさけんだ。

「すいません、道をゆずってください」

ふだんはあまり声を出さない今泉も、大きな声を出した。

「フッ、ゆずる？」

手嶋《てしま》がうしろをふり返った。

「できねえな、っていうかさ、だいじょうぶ？　おまえら、だいぶ息《いき》があがってんぞ？」

ペースを上げ気味《ぎみ》で走行《そうこう》してきている二人は、たしかにハァハァしている。それに引きかえ、ペースを変えずに走っている二年コンビにはよゆうが見られた。

「だったら力ずくでいきます」

今泉《いまいずみ》はそう言うと、手嶋のマシンのわきを通りぬけようとした。

スウッ、ドシッ

「おっと」と今泉が思わず声をあげた。手嶋がサッと車線変更《しゃせんへんこう》して、行く道をさえぎったのだ。このままだとぶつかる、と今泉はいったん身を引くしかなかった。

「なにをするんですか、あぶないでしょう!」

今泉はさけんだ。ぶつかって落車《らくしゃ》でもしたら、ケガをするかもしれないじゃないか、と言いたそうだ。

「悪い悪い、たまたまだ」

手嶋は悪意《あくい》はなかったかのようにつぶやくと、自分の前を走る青八木《あおやぎ》に声をかけた。

「青八木、ちょっくらデモンストレーションをやるかぁ。オニごっこだ!」

青八木がコクリとうなずいた。

手嶋は青八木のこしのあたりをパンとたたいておした。

それを合図《あいず》に青八木はギアをあげてスパートし、ぐんと先に出て、みるみる集団を引きはなしていった。

「ああっ、無口《むくち》センパイが!」

鳴子がくやしそうな声を出した。ぬけそうだった青八木が遠ざかる。すかさず手嶋が言った。

「ほら、追いかけろよ、一年。オニごっこだ。にげられちゃうぞ」

手嶋《てしま》がふり返って、ニヤリといじわるそうなわらいをうかべて言った。

「ただし、青八木《ヤツ》をにがすために、オレは最大限《さいだいげん》のブロックをする。これが、オレたちがかくとくした最良《さいりょう》の形だ。それはな、〝絶対《ぜったい》なるチームワーク〟だ、それを見せてやる」

どう言うこと？　坂道は手嶋がなにを言っているのか、わからなかった。

チッ
舌打《したう》ちしたのは鳴子《なるこ》だ。

「〝にげ〟や」

「にげって、なに？」と坂道がたずねる。

「自転車レースじゃ、集団から一人飛《と》び出して独走《どくそう》することを〝にげをかます〟って言うねん。無口《むくち》センパイが、にげかましよったで。パーマ先輩《せんぱい》がわざとおそく走って、ダムになるんや。うしろから来るマシンをせき止めているうちに、先行《せんこう》するマシンをどんどん先に行かせる作戦《さくせん》や」

ひきょうな作戦にも思えるが、自転車レースではふつうのことだ。

「ワイらが追いついたのは七百四十キロのところで、パーマ先輩は一周《しゅう》先、つまり五キロ先を走ってるから、実際《じっさい》に追いついてるのは無口センパイだけだ。だから、無口センパイを追いかけてつかまえないと、ワイらは、また差《さ》をつけられて引きはなされることになるんや!!」

その巧妙《こうみょう》な作戦に、冷静《れいせい》な今泉《いまいずみ》もあせった。最初《さいしょ》からそれを計算に入れて、こうなることを読んでの五キロ先行か……やっぱり……。

手嶋はうれしそうに言った。

「この合宿が始まるときから、一年生がこのあたりで自分たちに追いつくだろうと読んでいた。たとえマシンにハンデがあったとしてもな。だから、わざと自分たちのペースを落として、体力を温存《おんぞん》しておいた。おかげで足はまだ、つかれてない」

「カカカカッカカ!!」

それを聞いた鳴子《なるこ》が負けじと高《たか》わらいした。

「そんなこと、どうでもいいスわ。にげたら追う、そんだけでしょ」

せっかく追いついたのに、にがしてたまるか、とばかりに鳴子はペダルをふんだ。

「いつもの練習で先輩《せんぱい》たちの実力はわかっているから、悪いけど、このハンデつきのマシンでも追いつける！　無口センパイ、すみません、アンタ、もう少し、状況《じょうきょう》見てからにげたほうがかしこいですわ。この平坦《へいたん》区間でにげかましたことをこうかいさせます!!」

そう言って、鳴子はペダルをふみこみ、一気に加速《かそく》した。

「平坦道はワイの花道!!　浪速《なにわ》のスピードマンの仕事場や!!!」

エンジン点火《てんか》、ダッシュをかけ、突進《とっしん》した、そのとき——。

「おっとっと」

またしても、手嶋《てしま》がマシンをよせてきて、鳴子の進路《しんろ》を

ふさいだ。
手嶋の後輪《こうりん》と、鳴子の前輪《ぜんりん》がバチンと当たったはずみで、鳴子はいきおいよくふき飛《と》ばされ、コースから飛び出た。

わ……!!

鳴子はこけそうになりながら草地を走り、たくみなコントロールで、必死《ひっし》でマシンを立て直し、舌打《したう》ちした。
なんとか、ころばずにコースにもどってきた鳴子に、「悪いな。少し強すぎたか」と手嶋は少しも悪びれず、かるく左手をあげてうれしそうに言った。

「だいじょうぶ？　鳴子くん」と坂道があわててかけつけた。
「はぁ、はぁ、はぁ、一番イヤなタイミングでぶつけてくるやんけ。そやけど心配いらん。こんなことは自転車レースでは常識《じょうしき》や。ポジションあらそいではあたり前のことや」

レース……。

その言葉を聞いて、坂道はゴクリとつばをのんだ。

これは練習ではなく、もはやレースなのだ……。

ボクはまだレースを知らなすぎる。いや、なんにも知らないんだ、まだ。

「とにかく、二人の作戦《さくせん》は、パーマ先輩《せんぱい》がダムになって、ワイらをくいとめて、無口《むくち》センパイをとことんにがす作戦や」と鳴子《なるこ》が説明《せつめい》すると、「やだなあ、そんな上等《じょうとう》な作戦じゃないよ。ただのオニごっこ、ただのあそびさ」と手嶋《てしま》がまぜかえした。

「このスキに、青八木《あおやぎ》さんのペースが上がって、オレたちとの差《さ》を開きにかかっている」と察《さっ》した今泉《いまいずみ》が「あそびじゃねーだろ」と飛《と》び出した。

このスキに手嶋をぬこうというこんたんだ。

「おっと、行かせねえよ」

すかさず手嶋がブロック！

その自由自在《じざい》のマシンコントロールは相当《そうとう》なものだ。

手嶋の中学時代

手嶋は前をふさいで走りながら、今泉に話しかけてきた。

「ゆっくり話をしようぜ、エリートよぉ」

なれなれしい口調《くちょう》だった。

「チョコレートココアは好き？　ココアじゃなくて紅茶《こうちゃ》が好きなんだっけ？」

わざと関係《かんけい》ない会話をして、今泉をいらだたせようとしているかのようだ。

「なあ、エリートよ、こわい顔すんなって、エリートはお茶にはうるさいんだろ？」

「そのよび方、やめてもらえますか」

「いや、いや、いや。だってエリートだろ。ほかになんてよぶんだ？」

手嶋《てしま》は自分が今泉《いまいずみ》につけたあだ名が気に入っているようだ。今泉は感情《かんじょう》をおさえながら、先輩をにらみつけた。

手嶋は今泉の気持ちを無視《むし》して、話し始めた。

「だって、おまえ、中学時代は関東《かんとう》ジュニアで負《ま》けなしのエリートだろ？　知ってるさ。オレとおまえは一つちがい。中学のときは同じレースによく出ていたよ」

そう言うと、ギロッと今泉をにらみ返した。

「おぼえていないだろうなあ、そりゃそうだ。オレはいつも群衆《ぐんしゅう》の中にいて、おまえはいつも表彰台《ひょうしょうだい》にいたからな」

手嶋の言うとおり、今泉はなにも思い出せなかった。

「オレだって努力したんだぜー。毎日走って、回して、戦術《せんじゅつ》の本を読んで。だけど、いつもおまえはオレのはるか前を走り、いつもゆうゆうと表彰台のまん中にいた。オレはいくら努力しても三十位以内《いない》にすら入らねぇ。十二回目のおまえの表彰台を見て気づいたよ。オレは凡人《ぼんじん》なんだってな」

「うじうじした思い出話は、そのぐらいにしときましょか！　パーマ先輩《せんぱい》」

鳴子《なるこ》がすきをついて手嶋のわきをぬけて飛《と》び出した！

〝ダム〟を突破《とっぱ》した！

「おるぅらぁぁぁぁぁぁ、追撃開始《ついげきかいし》じゃーーー!!!」

手嶋は遠ざかる鳴子を追おうともせず、そのせなかを見送りながら、つぶやいた。

「だからな、鳴子……人がもっと高いレベルにいこうとするとき、なにが大切かわかるか？　それはおのれの分《ぶ》を知ること、つまり自分をよく知ることだ。

オレは走りの才能《さいのう》がないことがわかったときに、なにができるかを考えた。ラッキーなことに頭の回転は悪くなかった。だから、どうやったら勝てるか、あらゆることを考え、作戦《さくせん》をねることにすべての情熱《じょうねつ》を注いだんだ」

そして、坂にさしかかった鳴子に向かって、手嶋がさけびながら、追いかけてきた。

「鳴子《なるこ》、残念《ざんねん》だが、オレをぬくタイミングが悪かったな。おまえの得意《とくい》な平坦《へいたん》区間はもう終わり、そこから上り坂だぜ」

「くそっ」

坂が苦手な鳴子はあっという間に、手嶋《てしま》に追いつかれてしまったのだ。

「つかれてないおまえなら、今のタイミングで青八木《あおやぎ》に追いつけたかもな。でも、今のおまえは七百キロ以上《いじょう》、走ってつかれている。残念《ざんねん》だったな、エリート」と鳴子のせなかをポンとたたきながら、よゆうでぬかしていった。

今泉《いまいずみ》はおどろいた。手嶋は鳴子のタイミングをずらすために、わざと今泉に思い出話をして時間かせぎをしたことに。

坂道は、「レースって、こんなに追いぬきができないなんて」とおどろいている。

手嶋は続けた。

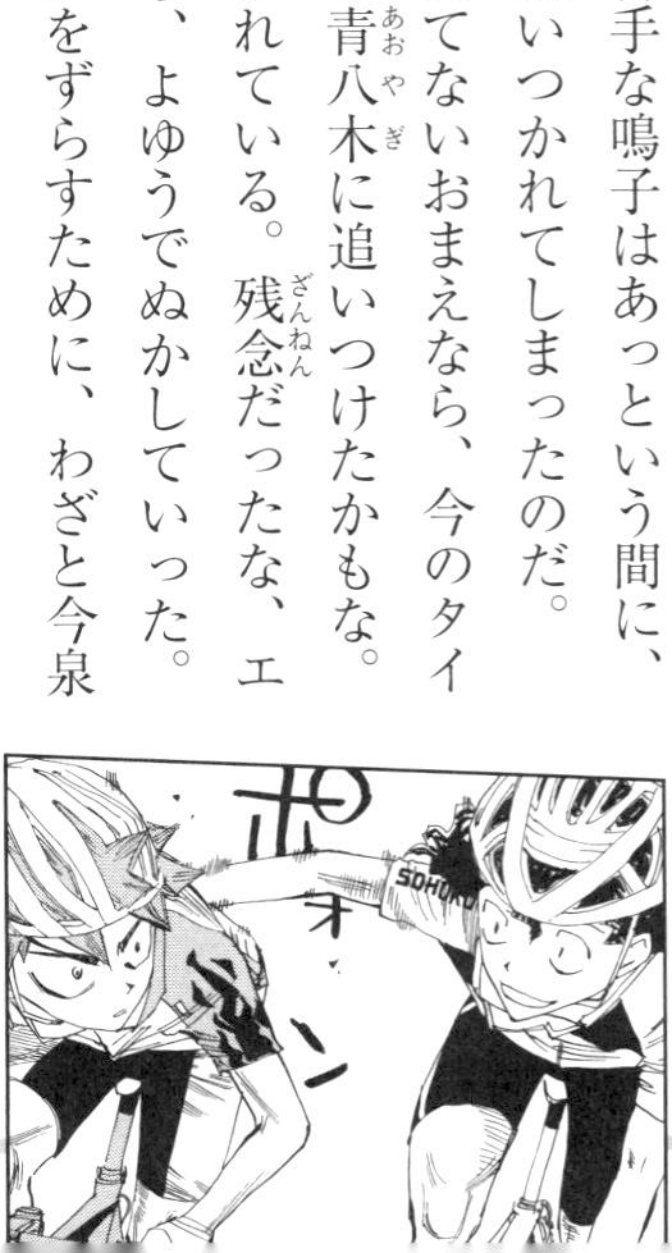

「もう一つ、おもしろい予告《よこく》をしておいてやろう。三周後《しゅうご》だ。三周後におまえたちは追いかけることをあきらめて、ティータイムに入っているぜ。そのころ、もうこのオニごっこは終わっている。なぜなら、おまえたちは三周以内《いない》に落ちるから」

二人のセンパイとオニごっこ

「おいおいおいおい、そんなもったいぶったせりふは、こいつを見てからにしてもらいましょーかい。下ハンなしバージョンや!!　うるあああ!!」

鳴子はもう一度、「ドン」と手嶋に体《たい》あたりして追いぬいた。

「登りを重いギアで回す、鳴子くんのスプリントクライムだ!!」

坂道はおどろいた。

「鳴子はスプリンターだから、まさか登りでしかけるとは手嶋さんも思っていない。いける！　よし、いいぞ、ラインギリギリを使って手嶋さんをぬいた」

今泉《いまいずみ》は鳴子《なるこ》の追撃《ついげき》を見て、「いける！」と思った。なんだか希望《きぼう》が見えてきた。

鳴子は手嶋《てしま》を挑発《ちょうはつ》する。

「パーマ先輩《せんぱい》、まだ、オニごっこ、終わってへんで。今度はアンタがオニや!! おうあああ、追撃開始《かいし》や!! 無口《むくち》センパイ、追いかけるで!!」

しかし、そうさけんだのもつかの間、鳴子はたちまち手嶋に追いつかれてしまった。

「いや、だからさ、終わるんだって……。おまえらがオニでな」と手嶋が言った。

鳴子が信じられないという顔で手嶋を見ると「なんだよ、ふしぎそうな顔すんな。マジックでもなんでもない。おまえがアタックかけてきたから、追いかけて、追いついたんだ！言ったろ、足に力、ためてるって」とよゆうだ。

それを見ていた今泉がぼうぜんとして言った。

「鳴子が追いつかれた。追いぬいても、すぐにつぶせるって言うのか、手嶋さんは。ブロックや接触《せっしょく》だけでなく、足でもおさえられるって言うのか」

「そうだ、おまえたちをつぶすのに必要《ひつよう》なのは、オレをぬけない事実《じじつ》と青八木《あおやぎ》に追いつけない事実を知り、絶望《ぜつぼう》させることだ」と青八木が走っているあたりを指さした。

「ほうら、見ろよ、青八木ははるか先を走ってるぜ。もう、おまえたちは青八木には追いつけない。絶望的だな」と手嶋はどんどんにげていく青八木のすがたを遠くに見ながら、満足《まんぞく》げにつぶやいた。

「さあ、こっからは下りだ。ゆっくり休みながら来い」

なんてことだ。

三人は、今、手嶋をなんとか追いぬかして、青八木に追いつかねば、手嶋の思うつぼだ。

このままではインターハイは絶望的だ。

チーム二人の戦略《せんりゃく》

中学生時代に自転車レースでたいした成績《せいせき》を上げられなかった手嶋《てしま》は、高校に入ったら、もうやめるつもりだった。自分に才能《さいのう》がないのはわかっていた。中学三年の最《さい》後《ご》の集大成《しゅうたいせい》のレースで、一学年下の今泉《いまいずみ》が優勝《ゆうしょう》し、自分は四十三位《い》だったからだ。

そう思って入学した総北《そうほく》高校だが、入学式の日に自転車で坂を登って校門を目指《めざ》す青八《あおや》木《ぎ》一《はじめ》に出会った。下の名前を聞いたら、まるでナンバーワンとやるように人差《ひとさ》し指《ゆび》を一本立てて、「一と書いてはじめだ」と言った青八木に同じスピリッツを感じ、同じ高みに行こうとしていると直感《ちょっかん》した。二人は、いつの間にか総北高校の自転車競技部《きょうぎぶ》に入部し、レースで優勝《ゆうしょう》することを目指し、ロードを始めていた。

去年のこの合宿の結果《けっか》、二人はインターハイのメンバーには選《えら》ば

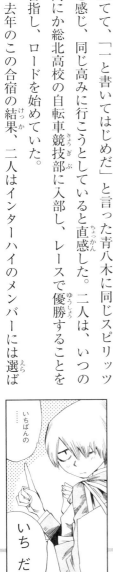

れなかった。「しょうがない」と思ったけれど、本番のインターハイのレースを見て、「このレースにどうしても出たい」と強く思った。インターハイは暑さ、熱気《ねっき》、あせ、情熱《じょうねつ》、このレースにかける思い、すべてがケタはずれだったのだ。

インターハイが終わったあと、手嶋は「来年はどうしても出たい。今の練習のままじゃだめだ。通用《つうよう》しない。どうする⁉」と青八木に相談《そうだん》した。

だまって聞いていた青八木は、二本、指《ゆび》を立てた。

「一人の力じゃむりだ。だったら二にするか。

出よう、二人で力を合わせて」

それはすばらしい案《あん》に思えた。「〝チーム二人〟だ！」と、

かたくあくしゅをした。

手嶋は頭がよく、青八木はここ一番の走りがうまかった。

二人の長所を生かして考え出した方法が、〝手嶋が頭脳《ずのう》、青八木が足〟。つまり手嶋が青

八木の体力を考えて作戦《さくせん》を立て、それにしたがって青八木《あおやぎ》が思うぞんぶん、走るというわけだ。その結果《けっか》、手嶋《てしま》はぎせいになったが、一年生のとき、青八木を五回表彰台《ひょうしょうだい》に送りこむことができた。青八木は、いつも自分ばかり表彰台に立ってもうしわけないと言ったが、二人で手にした勝利《しょうり》だし、凡人《ぼんじん》でも天才《てんさい》に勝つことが証明《しょうめい》できた、と手嶋は十分に満足《まんぞく》だった。

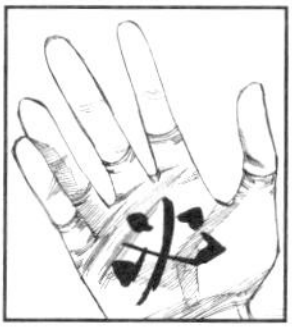

手嶋の右手袋《てぶくろ》のてのひらの部分《ぶぶん》には「必《ひつ》」、青八木の同じ部分には「勝《しょう》」と書かれている。あくしゅすると「必勝《ひっしょう》」だ。

二人は「必勝」をギュウとにぎって、この勝負にいどんだのだ。

約束《やくそく》の三周《しゅう》目

日がくれてきた。

手嶋はほくそえんだ。

「約束の三周《しゅう》目。もうヤツらにここを登る力は残っていない!!

おさえた！　勝った！

あとは青八木が来れば、作戦《さくせん》どおりだ。一年は落ちた。

行けるぜ、青八木、インターハイに！

〝チーム二人〟の勝利《しょうり》だ!!」


そう、あと三周という予言《よげん》は、〝日ぐれ〟を指《さ》していたのだ。

サイクルスポーツパークは、夜間照明設備《しょうめいせつび》が備《そな》わっていない。ところどころ外灯《がいとう》があるくらいだ。そのため、夜間はあぶないので、追いぬき禁止《きんし》となる。今日も、日没《にちぼつ》と同時に金《きん》城《じょう》が「夜間追いぬき禁止」を宣言《せんげん》する。そのタイムリミットが近い。

このままだと、青八木↓手嶋↓一年生と順番《じゅんばん》が決まってしまう。

手嶋は日がくれる時間までを読んでいて「あと三周」と予言《よげん》したのだ。

一年生はだれもこのことに気がつかなかった。このままでは一年生の敗北《はいぼく》だ。

インターハイ出場キップは、するりと手からこぼれ落ちてしまう。

坂道はただただ、おどろいていた。

「二人が何度も追いぬこうとしているのに、歯が立たないなんて……!! 手嶋先輩《てしませんぱい》は本当に巨大《きょだい》な石カベだ!!」と。

「さぁて、約束《やくそく》の三周《しゅう》目だ。完全に日が落ちた!! このくらさでもう追いぬきはむりだ。むちゃをすれば、けがをする」

手嶋は勝利宣言《しょうりせんげん》のように声をはり上げた。

「おまえたちはそろそろティータイムだぜ。たぶん、今ごろ、追いぬき禁止《きんし》のボードが出ている。つまり、おまえたちにゆるされた追いぬきの距離《きょり》は半周《はんしゅう》。登りの残《のこ》り九百メートルとホームストレートまでのわずかな下りだけだ!!」

それを聞いて、坂道はこんらんした。

えーと、このままぬけなかったら、えーとインターハイに……!?

手嶋はすべてを完全《かんぜん》に計算《けいさん》していた。日の落ちるタイミングまでも。

「ふふふ。そしてオレの計算では、もうそろそろ、先ににげをかました青八木《あおやぎ》が、この集団《しゅうだん》のすぐうしろに追いつく……！　青八木が追いつけば、一周分五キロ差《さ》をつけることになり、一年生は二度とオレたち『チーム二人』をぬけないまま、フィニッシュをむかえる。

これがオレたちのチームワーク。これがオレたちの勝利の方程式《ほうていしき》。

オレは残り半周、こいつらをキッチリおさえる！」

手嶋は満足《まんぞく》げに、ほくそえんだ。

そのとき、突然《とつぜん》、坂道が大声でさけんだ。

「えーと、このまま二年生をぬけなかったら、今泉《いまいずみ》くんと鳴子《なるこ》くんが、イ、インターハイに、行けなくなる!!!

ダメだ、ダメだ、そんなのダメだ。考えろ、なにか作戦《さくせん》はないか……。

ボクがオトリになって、それで二人が……えーとちがう、えーーーと」

いい作戦が思いうかばない坂道が、大きな声でさらにさけんだ。

「ボクは二人に、インターハイに行ってほしい!!

でもね、ボクはおくれているから、ボクがなにかをやっても、
ムダかもしれない、それはわかってる。でも、ボク、なんとかしたいんだ!

ボクは二人のことを、すごくかっこいいと思っているから!!」

坂道はこれまでになかったくらいに、スラスラと本心《ほんしん》をしゃべったのだ。

「今泉《いまいずみ》くんと鳴子《なるこ》くんは、同じ歳《とし》なのに信じられないくらい速《はや》くて、強くてかっこよくて、
ボクはいつもスゴくウキウキするんだ。ウエルカムレースで山を登ったときも、練習中も
合宿中の今も、いっしょに走ると楽しいんだ。

だから、あの先輩《せんぱい》をぬいて、インターハイに出て!

二人がインターハイに出てくれたら、ボクもがんばって追いかけるから」

小野田くん!!

あつい言葉のほとばしりに、鳴子はおどろいた。

こいつ……!!

これまでの坂道にはない言葉の強さに、今泉はハッとした。

「けど、けどさ、さっきから考えているんだけど、あの人を追いぬくための作戦が思いつかなくて。あっとおどろかせるようなドーンとした……こう……」

「作戦？　アホか……」

鳴子が言うのと同時に、今泉も口を開いた。

「バカだな、小野田。ごちゃごちゃ頭で考えてんじゃねーーよ。おまえはいつも高回転数《ハイケイデンス》の……」

「一点突破《いってんとっぱ》やろ!!」

今泉《いまいずみ》の手は坂道のかたを、鳴子《なるこ》の手は坂道の頭をおさえながら言った。

「こわしてみろ、カベを。おまえのその足で」と今泉。

「心配いらん。なにかあったら、フォローしたる」と鳴子。

「おまえがあけた風穴《かざあな》にワイらも続く」

二人は坂道のせなかをおした。

グウッとおされた坂道は、そのいきおいで前へと進んだ。

「集中やで、小野田くん」

鳴子がエールを送った。

こんなときに、できることなんてなにもないと思っ

ていたのに、これを打《う》ちゃぶる方法《ほうほう》があったのか、と鳴子はおどろいた。

「がんばって追いかける」

と坂道が言ったことにおどろいた今泉も「おまえもインターハイに出る気なのかよ、いいだろう!!　小野田」とせなかをおした。

三人はくらくなりつつある中、最後《さいご》の力をふりしぼってペダルを回した。

「これがおそらく最後のアタックになる。残《のこ》り半周《はんしゅう》、ホームストレートのラインまでめいっぱい回せ!!」

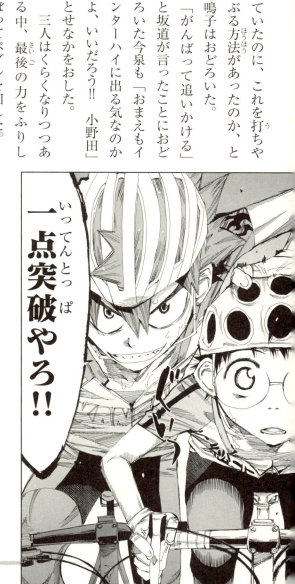

「うん！」

坂道は死にものぐるいでこいだ。

「登りの花道《はなみち》、満開《まんかい》でつっ走れ!!」

二人が坂道のせなかをバーンといきおいよくたたいた。

それを合図《あいず》に坂道が加速《かそく》した。

一点突破《いってんとっぱ》。

ここから坂道が一人で、二年生に切りこみ、追いぬくのだ。

「こわしてみろ、カベを……」

「うん!」

おお!!!!!!

ジャカジャカジャカジャカジャカジャカジャカジャカジャカジャカジャカジャカジャカジャカ
ジャカジャカジャカジャカジャカジャカジャカジャカジャカジャカジャカジャカジャカジャカ

「行くぞ、スカシ。最後《さいご》の一滴《てき》までふりしぼれよ！　一年の追撃開始《ついげきかいし》や！」

「言われなくても、わかってる‼」

三人は一丸《いちがん》となって前に前にと進んだ。

それはまるで、巨大《きょだい》なカベに立ち向かう弾丸《だんがん》のようだった。

坂道 VS 手嶋《てしま》

うしろから追いせまるものに気づいた手嶋が、追ってくる一年生のブロックに備《そな》えて集中力を高めていた。

「来たか、一年の最後《さいご》のあがき。そろそろ来るころだと思ったぜ。

これも予想《よそう》通り……!?」

一瞬《いっしゅん》、坂道が来たことにおどろいたが、すぐに平静《へいせい》をとりもどした。

「よし、小野田が来たか!! それも予想通りだよ、一年!!

さんざん、体力を使いはたした今泉《いまいずみ》と鳴子《なるこ》が、残《のこ》り半周《はんしゅう》に、登りの得意《とくい》な小野田を先に行かせて、なんとか突破口《とっぱこう》を開こうとしているんだな。

わっかりやすい作戦《さくせん》だ!!

おまえたちが希望《きぼう》をこめて小野田をスパートさせたことは想定内《そうていない》だ。

その作戦、オレが小野田対策《たいさく》をしていなければ、うまくいったかもな!!

でも、そろそろ青八木《あおやぎ》が追い上げてきて、一年をぬくころだ。そして、オレがホームストレートのラインをこえれば作戦はコンプリートだ。そこからはもう、追いぬくことはできないからな。

オレはこのポジションを死守《ししゅ》するぞ。だれにも前はゆずらない。

つぶしてやるさ。今泉《いまいずみ》、鳴子《なるこ》よ、おまえたちの小野田を!!

小野田坂道。おまえのことは、ビデオを見てじっくりと研究《けんきゅう》させてもらったよ。

武器《ぶき》は高回転数《ハイケイデンス》? ダンシング?

ふふふ、来いよ、小野田。

おまえの追走劇《ついそうげき》、オレが六十秒《びょう》で幕《まく》を下《お》ろしてやるよ!!」

手嶋《てしま》は自分の中で秒数《びょうすう》をカウントし始めた。

六十! 五十九! 五十八!

坂道は、猛《もう》ダッシュした。

「今泉くん、鳴子くん、インターハイに行って!! ボクも二人を追いかけるから!!」

五十七！　五十六！　五十五！

ぐるぐるぐるぐるぐるぐるぐるぐるぐるぐる

坂道はカーブのすぐ向こうに手嶋をとらえた。

五十四！　五十三！　五十二！

手嶋が五十一まで数えたときに、坂道は手嶋のまうしろまで接近《せっきん》した。

それをうしろで見ていた鳴子がさけんだ。

「小野田くん、アッちゅーまに追いついた!!」

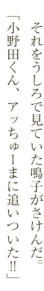

ジャカジャカジャカジャカジャカジャカジャカジャカ

坂道のペダルの音がすぐうしろで聞こえている。しかし、手嶋《てしま》はひとつもあわてない。

単純明快《たんじゅんめいかい》。小野田はわかりやすい。にげられたら追いかける。

それはアダとなる。

なんでか？

オレは十分にためた足だからつかれてはない。

しかし、おまえは追いつくためにペースアップしている。相当《そうとう》につかれているはずだ。

小野田、おまえは限界《げんかい》が近い!!

手嶋が引きはなしにかかった。

ハァハァハァハァハァハァハァハァハァ

五十！　四十九！　四十八！　四十七！　四十六！

四十五！　四十四！　四十三！　四十二！　四十一！

四十！

カウントダウンをしながら、手嶋は作戦《さくせん》どおりに前に進んだ。

小野田！　たしかにすごい回転数だ。力をぬいたら、一気にぬかれそうな追い上げだ。

しかし、おまえにはそれしかない!!

人の無酸素《むさんそ》運動―全力スプリントってのには限界《げんかい》があるんだ。プロのロードレーサーでももって一、二分。それが初心者であるおまえは、きっかり四十秒《びょう》なんだ。

なんで四十秒かって？

オレはこっそりと計測《けいそく》していたんだ。ウエルカムレースでも、巻島先輩《まきしませんぱい》との個人《こじん》練習でも、小野田が全力で坂を登れるのは、四十秒間だった!!

——残《のこ》り三十!!　あと三十秒でおまえは力つきる。
それまでもてよ……オレの体ッ……。

——残り二十ッ!!　そろそろ頂上《ちょうじょう》だ。頂上まではオレが死守《ししゅ》する。

十九！　十八！　十七！　十六！　十五！
十四！　十三！　十二！　十一！

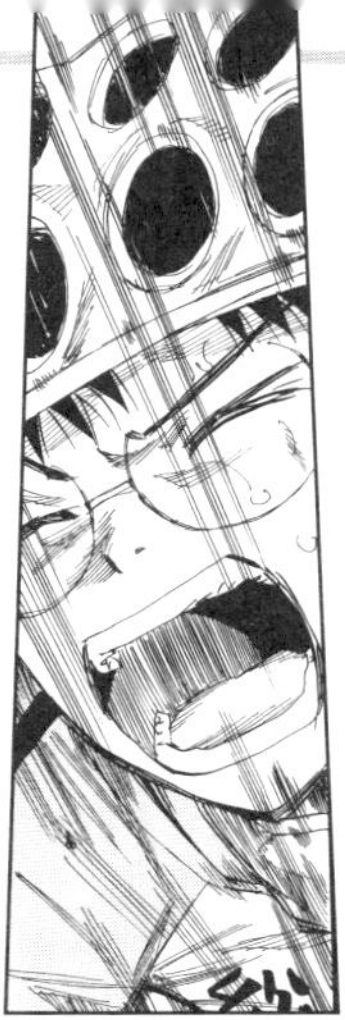

「来いぃ、青八木《あおやぎ》！　それがオレたちの約束《やくそく》!!」

十！　九！　八！　七！　六！

「オレたちのチームワークだ!!」

五！　四！　三！　二！

イチぃっ!!

ゼロっ!!!

「やった、ふり切った……」

手嶋《てしま》はふぅーと大きな息をついた。

自分の前に見えるものはなにもない。

そして、小野田がどれだけうしろであえいでいるかを確認《かくにん》しようとふり返った。

その瞬間《しゅんかん》――

坂道が手嶋《てしま》を、マシンの右側《みぎがわ》から、ぬき去った!!

「なんでだ!」

もくろみがはずれた手嶋は度《ど》を失《うしな》い、目を大きく見開《みひら》いた。

「ま、まさか。この合宿で、たった三日で、あいつは力をつけたのか!?」

「しゃああああああ!!! 小野田くんが、パーマ先輩《せんぱい》をやぶったぁぁぁぁああ」

歓喜《かんき》の声をあげたのはうしろを走る鳴子《なるこ》だった。

「アホや。ホンマモンのアホやで、小野田くん、マジで一点突破《いってんとっぱ》しよった!!」

「小野田……おまえはいつも思っている以上《いじょう》のスピードで成長《せいちょう》するんだな」と今泉《いまいずみ》も感心していた。

「四十秒《びょう》でふり切れるハズだったのに……、作戦《さくせん》は万全《ばんぜん》だったのに……」

手嶋は動揺《どうよう》をかくせない。

「くそおお、ここはまだ山頂《さんちょう》じゃないッ!!」

これは手嶋《てしま》の誤算《ごさん》か……。

「今度こそ、お先に失礼《しつれい》しまっすわ!!!」

手嶋の両側《りょうがわ》から、今泉《いまいずみ》が、鳴子《なるこ》が、ぶちぬいた。

「動け!! 動け!! オレの足! くそ、足が、ためていたはずの足が動かない……」
手嶋が悲鳴《ひめい》をあげた。

坂道との激戦《げきせん》のせいで、手嶋の足はピクピクとけいれんしていた。

「なんだよ。一年……どんだけ、なんだよ……」

手嶋はマシンからおりて、ぼうぜんと立ちつくした。

全力をつくした坂道はふらふらになって、たおれそうだ。

二人の手がすかさず坂道のジャージをつかまえてささえた。

「たおれてんじゃねーよ、行くんだろ、インターハイ」と今泉が坂道に言う。

「うん」

坂道は「インターハイで待ってるから」という山岳《さんがく》の言葉を思い出し、うなずいた。

「だったら、ねっころがってる場合じゃねーな。とりあえずは千キロ走りきれ」

「ごめん‼」

ここでもえつきてしまったら、リタイアしたウエルカムレースと同じになってしまう。

鳴子が坂道に話した。

「もう少しで坂の頂上《ちょうじょう》や。そこまでふんばりや。それをすぎたら下りや。ホームストレートまでたどりつけば追いぬき禁止《きんし》になるからのんびりいける。とりあえず千キロ！」


そうだった。終わったわけではない。

千キロを走らなければ、インターハイへの門はとじてしまうのだ。

「ちょっと待て。聞こえる」と今泉が耳をすました。

「無口先輩《むくちせんぱい》が来たようだぜ。レースはまだ終わってない」　（続く）

C O L U M N

これでキミも自転車通《つう》!

003

よりスピードを出すために「クリート付きシューズ」を使うのだ!

坂道くんはまだ気づいていないけれど、自転車競技《きょうぎ》をするレーサーは専門《せんもん》の特殊《とくしゅ》なクツをはいているし、ペダルもママチャリとは少しちがっている。この“秘密装置《ひみつそうち》”について解説《かいせつ》するよ。これを知ったらキミも自転車通《つう》だ!

<仕組み>

ふつうの自転車をこぐときは、ペダルの上にクツの底《ソール》をのせるだけだけど、競技用《きょうぎよう》の自転車はちがう。「クリート」という金具のついた「クリート付きシューズ」をはくことで、ペダルとクツを金具でカチッとくっつけてしまうんだ。こうすることによって、ペダルを一番下までふみこむときだけではなく、そこから足を回転させて、ももを引き上げるときにも、ペダルに力を加えることができるんだよ。

クリートの効果《こうか》

① 速く走れる

▶足の力が倍近くになる

② 上り坂が楽になる

▶ふむ足と引く足の両方の力を使える

③ 長距離《ちょうきょり》もOK《オーケー》

▶なれるとつかれがへる

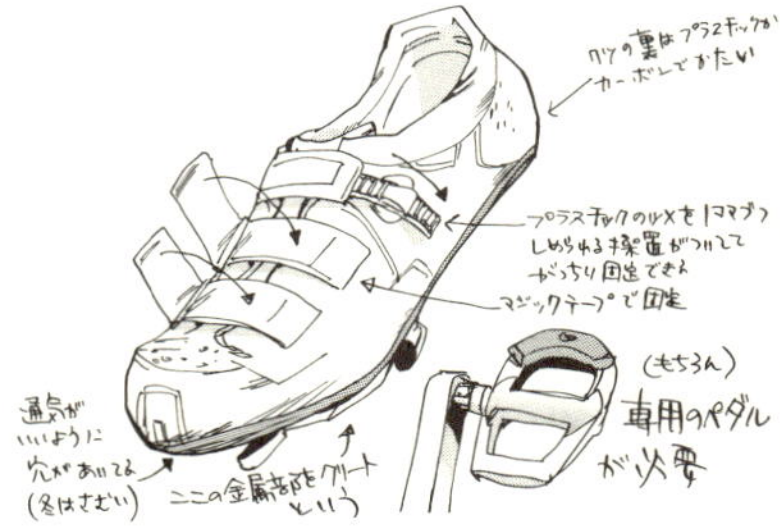

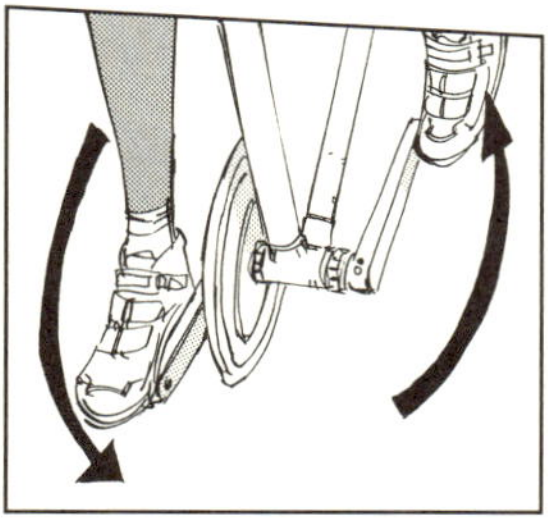

ふむ力と引く力、同時に2つの力が加わることになる。

自転車に乗る前は、機材を点検しよう!

▶① ブレーキはちゃんときくか

▶② タイヤの空気もれはないか

▶③ チェーンはクルクルとスムーズに回るか

▶④ ライトは点《つ》くか、後方反射板《はんしゃばん》はついているか（ふつうの自転車の場合）

[原作者]
渡辺 航（わたなべ　わたる）
漫画家。長崎県出身。MTBやロードバイクなど自転車をこよなく愛し、『弱虫ペダル』の連載を続けながら、多くのアマチュア自転車レースに参戦している。

[ノベライズ]
輔老 心（すけたけ　しん）
フリーランスライター。兵庫県出身。『スーパーパティシエ物語』『いやし犬まるこ』（いずれも岩崎書店）など著書多数。

AD　山田 武　　協力　渡邊まゆみ
編集協力　秋田書店

フォア文庫

小説《しょうせつ》 弱虫《よわむし》ペダル3

2020年3月31日　第1刷発行
2021年3月15日　第3刷発行
原作者　渡辺 航
ノベライズ　輔老 心
発行者　小松崎敬子
編集　元吉崇夫　田辺三恵
発行所　株式会社 岩崎書店
〒112-0005 東京都文京区水道1-9-2
電話　03-3812-9131（営業）　03-3813-5526（編集）
00170-5-96822（振替）
印刷・製本所　三美印刷株式会社

ISBN978-4-265-06573-8　NDC913　173×113

Published by IWASAKI Publishing Co.,Ltd.
Printed in Japan

岩崎書店ホームページ　http://www.iwasakishoten.co.jp
ご意見をお寄せください　info@iwasakishoten.co.jp
乱丁本・落丁本はお取り替えします.